不用出国 同样出色

一位成功母亲的18年家教心得

阎静 著

中国青年出版社

（京）新登字083号

图书在版编目（CIP）数据

不用出国，同样出色：一位成功母亲的18年家教心得/阎静著. —北京：
中国青年出版社，2008
ISBN 978-7-5006-8126-7

Ⅰ.不… Ⅱ.阎… Ⅲ.家庭教育–经验–中国 Ⅳ.G78

中国版本图书馆CIP数据核字（2008）第041177号

责任编辑：冈 宁

*

中国青年出版社出版 发行
社址：北京东四12条21号 邮政编码：100708
网址：www.cyp.com.cn
编辑部电话：（010）84015594 营销中心电话：（010）84039659
三河市君旺印装厂印刷 新华书店经销
*
700×1000 1/16 16印张 2插页 230千字
2008年7月北京第1版 2008年7月河北第1次印刷
印数：1-7000册 定价：29.00 元
本图书如有印装质量问题，请凭购书发票与质检部联系调换
联系电话：（010）84047104

目 录

序一：生命的感动

　　这是一本让人拿得起放不下的书。它会吸引着你从第一页，一直看到最后一页。

　　读完这本书，我心中充满了对生命的感动。

　　一位平凡的母亲，却做了一件不平凡的事情。她从女儿出生的第一天，开始记录女儿成长的历程，18年从未间断！每一个故事都是那么真实，好似发生在昨天；每一段感言都是那么真切，好似从心底流出；每一种教育的体验，都是那么真实，好似书写生命的百科全书！18年，这位母亲用心记录了一个孩子成长的历史，让我看到一个生命来到这个世界是多么不容易！一个生命从小长到大是多么不容易！让每一个做过孩子母亲的人都体会到生命的分量。

　　正当我沉浸在对这位母亲的敬佩和感激中时，四川汶川发生8级大地震！顿时山崩地裂，无数的房屋倒塌，无数的母亲失去了孩子，无数的孩子失去了父母！无数的人失去了亲人！

　　胡锦涛总书记第一时间发出救人的命令，10万多官兵奉命挺进，及时打通了通往灾区之路，成为挽救生命的希望。温家宝总理第一时间赶到灾区组织救人，他站在废墟上，用沙哑的声音呼喊：救人是第一位的！"千方百计进去，时间越早越好，早一秒钟就可能救活一个人！"他的声音划破长空，成为救人的号令。无数人自觉投入到这场抢救生命的战斗中，大家毫不计较地付出，无论是献血、捐款，甚至付出自己的生命！中国人在面对灾难的那一刻，表现出对人的尊重，对生命的关爱，令西方传媒一时间改变了他们对中国人的印象。他们说："中国人就像万里长城一样屹立千秋万代，风吹雨打不倒！"

大地震震碎了山河，也震撼了人的心灵。

那一幕谁也不会忘记：一位母亲在大地震发生时用自己的身体为3个月的孩子撑起的一片天，当她的生命停止时，她身下的孩子还甜甜地睡着，当救援人员把她的孩子救出来时，发现在孩子小夹被里，有一个手机，上面打着母亲的留言："亲爱的宝贝，如果你还活着，一定要记住：我爱你！"

那一幕让所有人落泪！在救灾现场，从倒塌的废墟救出的许多母亲都用身体给孩子支撑起生命的空间，虽然她们的姿式各不相同，可灾难发生的那一刻，她们本能地把自己的生命当成孩子的屏障。许多大人死了，而孩子却安然无恙。被感动的救援人员都是流着泪在挖……

母亲的爱是伟大的爱！每一个生命都是珍贵的。然而当毁灭性的灾难降临时，母亲选择了牺牲自己，把生存的机会留给了孩子。这伟大的母爱感天动地。感动之中，我在想，那位母亲用身体保护下的婴儿长大之后，是否能够理解母亲的感情，是否能够懂得生命的意义？是否思考过：用怎样的爱陪伴自己的孩子长大，用怎样的营养来滋养自己孩子的心灵？用怎样的方法让自己的孩子体验出生命的价值？

如果你也是一位母亲，请读一读这部《不用出国，同样出色——一位成功母亲的18年家教心得》吧！这位对孩子充满挚爱的母亲，用自己生命记录了一个幼小生命成长的历程，也记录了一个伟大母亲的情怀。从书中，我们可以看到，她不仅把孩子带到这个世界上，而且一步步引导孩子长大成人；她不仅把孩子当成自己的最爱，舍得为孩子付出爱，更是让孩子懂得如何去爱别人；她不仅关心今天能够做什么，更关心明天孩子能用什么；她不仅希望孩子耳聪目明，更希望孩子的生命充满阳光。这就是母亲的形象。

作者是一位充满理想的母亲。

她有一双会发现的眼睛。她随时发现孩子生命中可贵的地方，及时肯定下来。孩子把书撕了,她看到的不是孩子破坏书,而是看到孩子同情小动物的爱心,于是把责备变成了鼓励。

她有一双会倾听的耳朵。她的目标是做一个"听话"的家长,她的原则是"不要总想着改变孩子"。

她有一副会思考的大脑。她是一个用心去教育孩子的妈妈,于是,她的许多教子观有独到见解,同时也是符合孩子成长规律的:"孩子是坐不住的","不该提前登上小学快车","讽刺是自信的杀手","问题永远比答案重要","好成绩是睡出来的"等等。

她有一个包容的情怀。她"尊重孩子的挑选","发扬个性的光辉","需要说声:对不起"。她相信"快乐是在放弃后","养儿育女别图回报"。她甘心情愿与女儿一起成长。

18年一路走来,母女是朋友,共同享受朝阳,共同迎接风雨;不仅相依为命,而且视为知己;不仅分享快乐,而且分担痛苦,这就是母亲的理想,这就是母亲的伟大!

面对灾难,我们在思考:对一个人来说,什么东西最重要?什么东西能够帮助你战胜恐惧,战胜黑暗,战胜悲伤?是什么力量让你我手拉手战胜死亡?又是什么力量让全国人民万众一心,共渡难关,重建家园?

是金钱?是分数?是名次?是官职?是名利?不是,都不是!

是信念!是坚强!是感恩!是责任!是互助!是求生!是求知!是奉献!这就是道德的力量!

今天,我们把灾难中彰显出的道德的力量汇集起来,如果你曾经拥有,一定要把她留住,让她释放出来,增加你生命的能量!如果尚未拥有,一定要把她补上,让她陪伴你长大!在重建家园的时候,一定不要忘记建立一个美好的心灵家园,这个家园,能够帮助你战胜在人生路上的任何艰难困苦,能给予你一个幸福快乐的人生。

地震损坏的房屋,可以用钱力物力来修复,灾难破坏的家园可以用辛勤的劳动来重建，但是地震给人心灵带来的伤害，也只能用心灵的力量来修复；灾难破坏了心灵家园，也要用精神的力量、道德的力量来重建。

让我们凝聚起巨大的力量，共同来建设美好的精神家园吧！

知心姐姐　卢　勤

序二：一切为了学生发展

由宓是人大附中的毕业生。她在高中学习期间，积极参与了校内外各种艺术交流活动，表现了出众的才华和独特的个性。我了解到，2005 年 5 月高考前夕，由宓参加了"Fortune Global Forum 财富全球论坛"，作为到会的唯一一名中学生，她在会议期间以纯熟的英语进行了演讲，并回答了众多世界五百强财富领域的精英、外国媒体的提问，十分引人注目。我欣赏由宓出色的英语水平，更欣赏她在成长过程中表现出的积极进取的精神、自主学习的能力和自信开放的个性。她在高中时积极而富于创造性地参与了学校的英语剧活动，得到很大收获。由宓说过："人大附中丰富的英语活动一开始令我目不暇接，学校里有一种开放的气氛鼓励着学生去想、去尝试"，"在高中里，我的灵感处于激发态而且有了展示的机会"，"我为自己的定位是国际型的通才"。

由宓是人大附中千百个才华横溢、个性突出的优秀学生中的一员，他们的成长和成功印证了人大附中"尊重个性，挖掘潜力，一切为了学生的发展"的办学思想的正确。作为校长，努力创造适合每个学生发展的教育，能够为他们的健康成长搭建平台，能够让孩子们中学时代的校园生活过得充实快乐而有收获，我感到欣慰和幸福。

教育需要家庭、学校和社会三方紧密配合才能成功。这本书生动讲述了由宓成长过程中许多有趣的故事，读者可以从中看到由宓的父母在女儿教育问题上独到的理念、方法和长远的眼光，相信很多父母和教育工作者可以从中获得启示。由宓刚过 20 岁，还在大学读书，她的人生之路刚刚开始，现在的成绩并不意味着未来人生的成功。但由宓的成长经历印证了良好的家庭教育和优质的学校教育对一个孩子成长、成才所起的作用。祝愿由宓在未来的学习生活中能够持久进步，拥有精彩而有价值的人生。

人大附中校长　　刘彭芝

前 言

朋友的孩子辍学了,朋友的朋友的孩子离家出走了,不相识朋友的孩子自杀了……看到这些心碎的父母,激发我思考了许多问题:为什么在大力提倡和推行素质教育的今天,厌学的孩子反而越来越多?为什么小小年纪就患上了孤独症、焦虑症、抑郁症?为什么孩子离家出走的现象频频发生?为什么正值花季的孩子要远离我们而去?……

什么使得这类事情在我们身边频繁发生?

教育好孩子真的只是父母纯真的愿望吗?

怎样才能真正遏制这些不该发生的事情发生?

遇到孩子的各种想法我们该怎么办?

……

马克思曾经说过,家长的行业是教育子女。世界上任何职业都要经过培训、考核后,竞争上岗,但在今天,唯有"父母"这个岗位可以除外。社会上也没有一个机构来监督父母培养孩子的对与错。有史以来,只有学校、老师和家长没完没了地考孩子,而家庭教育的这张试卷却无人来打分。我们在思考现代教育不足的同时,想想家长是不是也有不可推卸的责任?在对孩子成长的整个教育过程中,家庭教育应该起到怎样的作用? 即将为人父母的人们,或是初为父母的人们,对如何养育即将或已经到来的新生命,都做好准备了吗?

这不是一部研究家庭教育问题的学术专著,而是一个母亲在与女儿共同成长近二十年中的经验总结。今天,我只想以电影回放的形式,把女儿不同阶段成长的镜头记录下来，以一张已经写过的答卷展现在你的面前。今天，我更愿挑战自己，重新回到一个久别了的学生的位置，将养育女儿近二十年的试卷交由她来评判。

我不是学教育的，但生活教会了我许多；我更不是什么专家，和你一样拥有一个共同的称呼——妈妈。但愿本书的出版，能使您重新审视自己与孩子之间的关系。在这本答卷中，我只看中女儿或家长们给予我的肯定，至于教育专家的评价，及格与否，我无所谓，有几个对勾就知足了。

1. 抓周，人生选择中的第一次预演

明天就是女儿周岁生日了，怎么过？还是奶奶提议，除了庆祝一下，还得举办一个抓周仪式。

住平房就这点好，谁家要是有点高兴事，街坊四邻都愿凑个热闹。第二天一大早家人开始忙活起来，街坊也闻讯挤进我们并不宽敞的屋里，满满当当的，好不热闹。

那时抓周都需要准备些什么我也不清楚，不像现在，想找个什么只要在电脑上敲一个关键字，五花八门的信息就可供你参考。

奶奶说："这些东西家里差不多都有。如最先抓取的是笔和书，就预示着孩子将来有文才；印章代表当官、钱代表富有、葱代表聪明、大蒜代表会计算、和医学有关的代表当医生，还有……还是先把大床腾出来慢慢想着摆吧。"

"那我得先把这小东西支走，不然她会把你刚摆好的东西弄得乱七八糟的。"

我抱着女儿屋里屋外地到处找着可以用来抓周的道具。首先想到的当然是多放点书啦，"万般皆下品，唯有读书高"，我希望女儿将来能干个跟文化艺术沾边的事。于是光书就找了好几种：低幼的图画书、小人书，又从书柜里搬出了一本线装书。知道吗？钱锺书抓周时抓取的就是一本书，因名"锺书"。当个画家或其他与文字设计有关的事也不错，于是我找出了各种笔：毛笔、蜡笔、彩色画笔、圆珠笔、铅笔，都摆上了，回头看见丈夫中山装口袋别着的钢笔顺手也让他贡献出来了。嗯，能当个医生也不错，以后一家人的身体有保障了，没有听诊器怎么办？邻居拿来了血压计代替也行。印章就用在书市上让人家刚给刻的吧，起码预示着将来能官运亨通，至少有管理方面的才能也好。玩具嘛也不能少啊，毕竟是孩子的所爱。百元大钞也少不了，不是说了嘛，有钱能使鬼推磨。放个乒乓球拍吧，不管练什么，赚个好身体比什么都强。胭脂口红也得摆呀，早知道《红楼梦》第二回中就有关于宝玉"抓周"的记述："谁知他一概不取，伸手只把些脂粉钗环抓来玩弄。"宝玉抓取"脂粉钗环"，令其父贾政大为不满。毕竟咱是个女孩，看惯了我出门化妆，要是选上这个也没的说。什么大葱、蒜头也上来了，毕竟它们代表了聪明、会计算，管它好闻不好闻。芹菜代表勤劳，纯粹是采用了谐音，话说回来了，谁不希望孩子将来勤劳致富。再放点儿好吃的东西，抓着可能会被认为没多大出息，是个吃货，可谁离得开吃呢……闹了半天只要大人期望的编个说词统统都可以搬上来呀。

看女儿过生日，最兴奋、最开心的要算是大人了。我抱着胖嘟嘟的她一遍又一遍录磁带，生日歌就没停地在嘴里哼唱着。女儿看着大人们都那么高兴，自然也莫名其妙跟着咿咿呀呀、咯咯傻笑。

"照这么找还有完吗，有几样代表不就行了。"一旁帮不上手的丈夫发话了。"嘿，你这不是皇帝不急太监急吗？好了好了，差不多了，仪式马上开始。"

舞台的道具都准备好了，真正的主角登场才能称得上是一台戏。

我抱着女儿站在众多的物品面前，她睁大了眼，先瞄了一下这些花花绿绿的东西，迫不及待扭着劲儿地让我靠近它们。我把女儿放到了预留出的位置，本想着她会斯斯文文拿拿这个、摸摸那个，结果屁股还没坐稳就冲向自己的左手边，抓起那支灰不溜秋的钢笔看着我笑，真奇怪，那么多好玩的、好看的东西，她单单选那支最不起眼的钢笔，我心中暗喜。"小女孩儿长大当医生多好"、"当作家好，你们家就是书香门第"，邻居大妈们争先恐后地说着。那好，为了验证一下，再让女儿重新抓一次吧！我们打乱了这些道具原有的秩序，这次我把那支笔放到离女儿最远的角落，还用别的东西把笔帽稍微遮挡了一点儿。女儿又一次回到了床上，她不顾平时喜爱的玩具，穿过漂亮的书本，不在乎爱吃的东西，百元大钞也没看在眼里，直奔目标，啊，又是它！她又一次举起了这支笔，向我炫耀。周围的人都笑了，我更是打心眼里高兴，孩子抓周，倒成了逗着大人乐了。

据说丰子恺儿时就对笔情有独钟。他非常喜欢抓家人案头的毛笔玩耍，可总是遭到拒绝。"抓周"时,毛笔就在面前,任他随意抓取,他当然舍其他而取毛笔了。呵,还想和名人攀"笔"呢。

其实,这不过是和孩子玩的一场带有取乐性质的游戏,大可不必当真。对于一个刚满一周岁的孩子而言,眼前摆放的这些道具和与之所承载的预示意义不过是大人们所赋予的,是大人们梦想与企盼的体现,也是望子成龙、盼女成凤最初的体验。抓周只不过是孩子人生诸多选择中的一次预演而已,孩子今后需要选择的路还很多,我想我至少不会用大人的手抓着孩子的手去选择。

孩子的评语:

现在抓周可抓的东西更多了,预意也更宽泛了吧。面对这些,我的选择不知该是什么。这不过是一场游戏,如果拿走一样少一样,最后只剩一样,你给孩子试过吗?

在大人们的谆谆教诲下,我们已经知道自己该拿什么,也会根据需要来取舍什么,这次自己选了,以后还会吗?

2. 孩子撕书有原因

"三翻、六坐、八爬、一岁走。"从女儿会坐的那一天,我就为她准备了很多婴儿画报和一些漂亮的刊物围在她周围。彩色的画面、可爱的小动物形象果真吸引了她的眼球。她摸摸这本,抓抓那本,两只小手忙个不停,渐渐地她的周围成了书的海洋。女儿一天天长大,可慢慢添了一个毛病:撕书。看得出来，她不是不喜欢书，只是看到最兴奋的时候，就控制不住地连喊带叫地"嚓嚓"地撕开了。

我耐心地对她说："书撕坏了，你再想看就没有了。"我拿来垃圾筐给她看丢进去的画报。她依然乐着，撕着。

有一天，我把所有的画报都藏了起来。她虽然还说不清话，但看得出她有些着急，两眼在四处寻找不见的画报。这时候我对她说："那些被你撕坏的书让我对你说，它们去医院了，等修好了，它们才能出来和你玩儿。"第二天，她仍然没有见到心爱的婴儿画报，她拉着我的手，意思让我带着她找。我仍然没有拿出来，对她说："如果你能爱护它们不再撕了，它们才会出来和你玩儿。你是不是特别想看到你的婴儿画报？"女儿瞪大眼睛看着我。我让保姆先抱着她，大声说："变、变、变出来，宓宓爱看的书快出来。"我从柜子里拿出两摞书，一边是完整无缺的，一边是被女儿撕坏，但被我粘贴好的。女儿张着两只小手迫不及待地扑了过来。"你看，这些书都被妈妈修好了，可是它们都带着伤，也不好看了，以后宓宓会照顾好它们的，是不是？"从那以后，女儿再也不撕书了。

又过了好长时间。一天晚上，我帮女儿收拾书，我拿起一本画报一看，书的右上角就连着一点儿了。好长时间不见女儿撕书了，这次怎么又开始了？我有点儿想发火，但还是耐着性子问她："这书怎么成这个样子了？""我怕狮子追上小鹿，就把路给撕断了。"可以听出女儿有些内疚。我拿过书仔细一看，原来是狮子追到森林的尽头，小鹿看到有一条小路转身拐了进去，狮子突然发现小鹿不见了，噢，差点儿上了小鹿的当，于是狮子向右转又朝小鹿的方向追了去。眼瞅着狮子马上就要追上小鹿了，这时，只听"刺啦"一声响，女儿为小鹿"断路"了。我深深地为孩子的善良所感动。"妈妈我不对，我又撕书了。""不，你非常勇敢，小鹿没有被狮子吓倒，你也没有被狮子吓倒，这条路断的真是时候。"我没有批评女儿反而夸奖了她，她可高兴了。从此以后，女儿每次看书前她都会大声对自己说："爱护。"

孩子的评语：

从咿咿呀呀地拿着书撕着玩，到像大人一样装模作样地看起来，却不知道自己拿倒了，接下来就是和妈妈一起体验阅读。正是在爱的氛围里来阅读，所以对阅读产生兴趣就是自然的事情了。

3. 让孩子自己爬起来

我特别喜欢看刚刚学走路小孩儿跟跟跄跄的样子。那时的女儿正在学走路，不是大手牵着小手，就是在她腰间扎根宽腰带，再就是两个大人蹲在两边接着她，然后加大距离。这天，约上好友带上双方的孩子，我们来到离京城不远的一片绿地停了下来，这里的草地像厚厚绿色的地毯，绝对是"放羊"的好地方。在城市水泥森林里待惯的两个小伙伴见到这茵茵绿色可高兴了，一起玩儿得火热，咿咿呀呀讲着只有他们之间才懂的语言。

不一会儿，为抢一个东西两人翻脸了，本来就站不稳、走不好的双腿不听使唤，只听"哇"的两声，两个小东西摔倒在地。

"你不要管他们，让他们自己爬起来。"我坚定地说。

朋友还是一个箭步冲上去扶起了自己的孩子，只听她的哭声更大了，朋友一边拍打孩子身上的浮土，一边用另一只手不停地打着草地，恨不得要把绿草都打死。

女儿趴在地上眼睁睁地看着我哭，"妈妈看你是不是勇敢的孩子，自己爬起来才是好孩子！"我鼓励女儿说。

她看见小伙伴有人管，站了起来，哭得更厉害了，朋友看不过了要去扶。"你一定不要这样做！一定要让他们学会自己站起来！"我忙拦住了她说。"像小一休一样，两只手撑着地，一使劲儿就起来了。"

女儿哭累了，也无望了，在草地上趴了一会儿，终于在我们的鼓励下自己站起来了。

朋友对我的举动不解。我问她："你知道长颈鹿是怎样站立起来的吗？"我给她讲了这样一个故事：据说长颈鹿生下来通常是后背着地，几分钟内，它翻过身把四肢蜷在身体下，依靠这个姿势它第一次看到这个世界，并甩掉眼睛和耳朵里最后残留的一点儿羊水。然后长颈鹿妈妈会用粗暴的方式把它的孩子带到现实生活中。长颈鹿妈妈低下头，看清小长颈鹿的位置，将自己确定在小长颈鹿的正上方，等待大约1分钟，然后做出了最不可理解的事。它抬起长长的腿踢向它的孩子，让它翻了一个跟头后，四肢摊开，如果小长颈鹿不能站起来，长颈鹿妈妈就会不断地重复这个动作。小长颈鹿为站起来会拼命努力，因为疲惫它有时会停止努力，妈妈看见就会再次踢向它，迫使它继续努力，最后，小长颈鹿第一次用它颤动的双腿站起身来。这时候，小长颈鹿的妈妈又做出更不合常理的举动，它再次把小长颈鹿踢倒，它想让孩子记住自己是怎么站起来的。这是因为，在荒野中，小长颈鹿必须以最快的速度站起来，以免使自己与鹿群脱离，在鹿群里它才是安全的。狮子、土狼等野兽都喜欢猎食小长颈鹿，如果它的妈妈不教会它的孩子尽快站起来与大部队保持一致，那么它就会成为这些野兽的猎物。

自然界中的动物都会这样，何况我们人类呢？我们高兴地望着两个孩子摔倒了，再起来，又摔倒了，又爬起来，似乎更明白了孕育孩子的道理：养好孩子是动物都会的本能，但教好孩子却只有人类才能做到。

孩子的评语：

日本动画片《聪明的一休》中有这样一个情节：一休的妈妈为了磨炼一休，让他当和尚，独立生活。有一次，小一休跌倒了，石头磨破了他的腿,妈妈离他只有几步之遥,一休将手伸给了妈妈,可妈妈无动于衷,只说了一句话:"用手撑一下,自己爬起来。"她是让小一休明白一个道理:跌倒了得自己爬起来。

聪明的家长懂得我们正是在这样的摔摔打打过程中成长起来的。你愿身边是一切都能自理的小大人,还是离不开拐杖的大小人?尽早放下不必要的呵护吧。

4. 孩子的要求总会得寸进尺

历来都是"会哭的孩子有奶吃",然而如果孩子把哭当成要挟父母的武器,一哭就灵,父母就此妥协,那难管的问题就留在了日后。一定要让孩子知道不是他想要的东西都能满足。

"妈妈给我买一个小毛鸡儿。"女儿说。

"家里有那么多小毛巾儿,怎么还要呀?用完了才能再买。"我没问清楚就给否决了。

女儿也没有解释立即就哭了。哭就哭吧,我也不理她。

一会儿她走到奶奶面前,奶奶哄她,结果哭得更厉害了。我一边做着事情一边用余光看着她,她也边哭边用双手捂着的眼睛在指间缝隙处偷看着我的反应。

"就给她买一个吧。"奶奶求情。

"不行,说不能买就不给买,不能惯她坏毛病。"我坚定地说。

我听奶奶小声地对她说："回头奶奶给你买，别哭了。"

我不想当着女儿面对老人的举动进行干涉。过了一会儿，我把奶奶叫到一旁说："您对孩子的好意我知道，如果孩子在我这儿不答应的事，在您那儿就能得到满足；在我这里行不通的事，在您那儿就能放绿灯，这样对孩子不好，咱们应当采取一致的态度。"

过了些日子，我带女儿走进一家商店，女儿指着柜台里的一对毛茸茸的小毛鸡儿对我说："妈妈，这就是我想要的小毛鸡儿。"

"小毛鸡儿? 小毛巾儿? 原来是妈妈理解错了，以为你又想买各种动物图案的小毛巾儿了，真对不起你，是妈妈的错，那妈妈给你买这个小毛鸡儿，就算赔个不是好吗? "

"我现在不想要了。"

这件事我很内疚，因为女儿不是向我提出无理的要求，她一定是为我给她买的刚刚死去的小鸡难过，想再拥有一个替代品而已。我的不问青红皂白又一次伤害了她。为了忏悔，我把这个店改名为"小毛巾儿商店"。不过从另一方面也可以看出，孩子如果知道不是她想要的东西都能得到满足时，她就会在哭累了、无趣、无望中自己收场，自己从中学会了忍耐。

朋友和我有不一样的遭遇。一次她说："我那孩子怎么这么难管，你说什么他也不听，你跟他说什么也没用，一气之下我把ADSL给他停了，结果回家一看，人家拉出一个横幅：'还我宽带，后果自负'"。

"什么后果? "

"不让他上网人家就明说了，不去上学。"

追根溯源，孩子变成这个样子，责任不在孩子，问题出在父母身上。其实，孩子从小就会欺负大人。比如，孩子一哭你就抱起来，一不哭就放下，经过多次反复，他就会条件反射地知道哭与抱之间的关系了。

孩子再大一点儿，如果有求必应，你已经彻底向孩子的哭闹妥协了，他稍不如意就可以利用哭这个最好的武器战胜你，他的哭就是向你一步步进攻，你无条件地答应他的要求就是对他无理要求的一步步妥协。

孩子从小到大，你如果一次让步，下一次他就会以更强烈的态度向你示威。这时如果用暴力解决问题，只能加速孩子冲动易怒、任性执拗坏习惯的形成。正像思想家培根说的："你知道用什么方法一定可以使你的孩子成为不幸的人吗？这个方法就是百依百顺。"

孩子的评语：

老妈说我从小就很少哭，当然除了生病，我小的时候，她也很少抱我，一是她最不喜欢爱哭的孩子；二是最主要的她怕我一哭她就抱我而影响她睡觉。

小孩的任性都是在家人那里得寸进尺而来的，哭只对家人管用，走向社会就没人会相信你的眼泪了。

5. 自己动手做玩具

孩子如轻而易举就能得到他喜爱的玩具，就会仍不满足，因为欲望是永无止境的。

回想我们小时候，跳皮筋、跳房子、扔沙包，用瓶瓶罐罐敲打出不同的声音，冬天在冰花的玻璃上画美丽的图画……真是其乐融融。那时的我们不像现在的孩子要求那么高，一件再普通不过甚至不需要花几个钱就可以得到的玩具，会让我们留下抹不去的回忆，得不到满足也是习以为常的事。倘若得到一件小小的礼物，会让我们欣喜不已。

女儿小时候非常喜欢仙蒂娃娃，对仙蒂娃娃身上穿的衣服更是喜爱有加。她坚定地说要让仙蒂娃娃每天都换上新衣服。可是要买齐仙蒂娃娃每款的衣服，比买个娃娃还要贵。这真让我有点儿"买得起马配不起鞍"的感觉。我不想花那么多钱买下所有仙蒂娃娃的衣服，但又不想让女儿这个美好的愿望破灭，于是翻出家里花花绿绿的布头，买了一些辅料自己动手做。没花多时，经过简单的缝制、配上各异的纽扣、加上美丽的蕾丝花边，一件仙蒂娃娃漂亮的拖地裙告成了。

周末女儿回到家，还没有忘记我上周答应给她买仙蒂娃娃衣服的事。

"我给你买来了。"我边说边把早已做好并加上精美包装的仙蒂娃娃的拖地裙展现在女儿面前。

"太漂亮了！"她高兴地说着并急忙要给娃娃换上。

高兴之余我对她说，"相信吗？这是妈妈做的。"女儿有点不信。我把剩下的布头拿给她看。

"仙蒂娃娃的衣服也能自己做？"女儿有些疑惑地问。

"买来的衣服不也都是服装厂阿姨们做出来的吗？一件漂亮衣服首先要由设计师设计出来，然后再由阿姨们用缝纫机缝制起来。只要你有好的创意，没有做不出来的衣服。"我知道女儿喜欢画画，接着对她说："以后仙蒂娃娃的衣服由你负责设计，我们一起制作，保证咱家仙蒂娃娃的衣服不会和别人重样，怎么样？"

这一说女儿来了兴致，一画不可收之，一幅图比一幅图画得好，一幅图比一幅图设计得有新意，那副认真劲儿真像一个服装设计师，只是后来设计图的复杂程度不是我所能完成的。直到现在女儿一直对时装设计感兴趣，看到一些时装发布会她还会说："这个创意我几年前就想到了。"

女儿小的时候也经常光顾玩具店，无法摆脱琳琅满目玩具的吸引。这时候我常常站在一边，沉默不语。看到玩具柜台前赖着不走哭着喊着一定要大人买东西的小朋友，女儿反倒安慰我说："妈妈我不买，我回家自己做。"

我看出女儿很想要一副跳棋，下班急匆匆买了回家。

"给，我看你看了半天，一定是想要这个。"我讨好地说。

"这不是我想要的。我在那儿看，是在想一副跳棋是怎么画出来的。"女儿并不买账地说。

原来女儿对世界地理特别感兴趣。于是几天后，她自己制作了一副世界地理(旅游)棋，别说大他几岁的哥哥玩不过她，就连我们大人都输在她手下。后来女儿长大了，我还经常开玩笑说："我真后悔当时没有给你申请专利。"

可见，随手可得的东西和通过自己的努力得到的东西对孩子来说是大不一样的，孩子们对轻而易举得到的玩具会弃之随意;而自己动手动脑制作的玩具，里面包含了孩子极大的创造力，会给他们带来无比的喜悦和巨大的成就感。

以后，每当女儿看到自己想要的玩具，总是先想到自己能不能做出来。尽管常常没有买的好，但我总是给予她最高的鼓励。

每当遇到爸爸妈妈的生日或其他节日，女儿也总是送给我们自己制作的礼物，我高兴地对她说："这亲手做的礼物比买来的任何礼物都有价值，我们会非常珍惜这份礼物!"

这种动手动脑的习惯一直保持到现在,以至于十五六岁时,我们公司的软件工程师都认为不可能自己制作电影的她,居然完成了两部自编、自导、自演、自己剪辑的DV作品。

独生子女虽是娇生，但我们不能惯养，父母对孩子的爱应该是有原则的、明智的爱。我的同事经常嫌我抠门，说："你又不是买不起，给人家买点儿高档的。"我说："档次高低，这是咱们成人的观念，孩子没有这个概念，什么玩具能让她玩得痴心在她来说就是好玩具。"我想，即便是再富有的父母也应把自己的孩子当穷孩子养，让孩子自己创造自己的未来，如果我们不加限制地为孩子提供金钱，一味无条件地满足他们的花钱要求，放纵孩子过分的物质欲望，无形中就助长了孩子的恶习。等到有一天，当孩子走向社会独立生活显出的可怜、无助时，等待我们的只能是责怪。

在这个问题上，我还是赞成把"再穷不能穷孩子"的观念变为"再富不能富孩子"。

孩子的评语：

其实，做父母的真的不需要我们要什么就满足我们什么，我们的心里有时只是想知道我们的得寸进尺能达到什么程度，而心灵的快乐真的与贫富无关。让我们时常感受一下"得不到"的滋味，相信我们会在这种感受下学会珍惜唾手可得、却又轻易被我们忽视的东西。

■ 6. 小涂鸦，大秘密

女儿从幼儿园回来，像往常一样做自己最愿做的一件事——画画。

没过多会儿就听见隔壁房间里女儿和奶奶争了起来。我忙跑过去问个究竟。

"奶奶说我画得不对。"女儿抢先指着画儿委屈地说。

"奶奶说怎么不对啦？"我边拿起女儿的画边问道。

"她说一棵树不能长出不一样的果子。"女儿继续说着。

"哟，这是一棵什么树呀？和我看到的果树真的不一样。"我假装惊奇地问。

"这是我想要的多果树呀……"女儿看有了欣赏人多了几分话语。

"怎么可以不符合实际乱画，你看这书上是怎么画的？"奶奶指着桌上的小画书说道。

"依我看，这可是一棵了不起的果树，在这棵树上随便就可以找到你想要吃的果子，你想吃什么就摘什么，不想吃的也许别的小朋友喜欢吃，哪个果子也剩不下,是这样吗?"我欣赏地看着女儿问。

女儿连连点头又说:"这些果子都是大树妈妈生的孩子,它们还可以结婚呢。"

"不可能……"奶奶叨咕着往外走。

"怎么不可能,你看,现在通过果树的嫁接技术,能让苹果吃起来有梨的味道,梨的形状看上去长得又像苹果。或许有一天,一棵树上长满不同的果子不是不可能的事情,真盼望这棵多果树早点儿诞生。"我看着女儿说,更像是对着奶奶说。

不要小看孩子那些近乎荒唐的幼稚想象,在这之中,常常蕴涵着一些惊人的发现。我们习惯以成人的眼光看待孩子的绘画,所以不能理解,是因为没能理解孩子的心灵和童趣。生活中,我们常觉得孩子的问题幼稚可笑,不符合常理。但真正可笑的人,往往是我们自己。我在想,我们真应该经常用孩子心灵丰富的创造力,来补充一下我们内心固有的日渐贫乏了。

乱涂乱画的涂鸦习惯,在女儿上学后一直延续着。教科书上(配上插图记得更牢了)、作业本中(想与老师形成互动,也不管老师喜不喜欢)、私密簿里(连写带画是她情绪发泄的最好地方,不像现在可以在网上随便发表观点,没有谁会知道骂的人是谁),甚至考完了试的试卷后面都留下过她涂鸦的痕迹。现在居然又想出了在照片背后画上与前面照片对应的线条的主意,说是从照片后面可以看到前面人的内心世界。

不过,一些心理学家认为,涂鸦是白日梦的视觉形式的反映。还有个心理学家Ho Law说:"涂鸦是创造性的活动,反映一个人大脑中的想法。"

实际上,涂鸦能激活大脑的创造力已得到证明。美国印第安纳州Dordt大学的心理学家Wendy Van Dyk作过一项研究,让一组学生以不同的方式听课,有的边听边记笔记,或随便涂写,最后测试他们到底听进了多少内容。结果记笔记的学生和随意涂写的学生记下的课堂内容比光听不写的学生多。难怪女儿涂鸦无处不在,学习起来悠闲自得。

可遗憾的是,我们中的大部分人从小在家或在学校的时候早就被宣判自己没有艺术方面的天赋。英格丽德·柯林斯将此斥之为谬论,他说:"如果你能呼吸、能思考,你就会画画。涂鸦很有趣,而且就其本身而言,它有很强的私密性和个人色彩。这是一种奇妙的技巧,能让你充分了解自身的感受。"

是啊,女儿涂鸦的主要意义不在于她的作品本身,我始终把它看作是她内心的表露。直到现在,我们家的留言方式仍保留着涂鸦的形式,每当看到那用简单的符号轻松勾勒出的画面,连猜带想的那种愉悦怎能是语言和文字表达得出来的?

孩子的评语:

有人比喻涂鸦是艺术家重要的"热身"练习、歌唱家演出前的练声、画家展开创作的良好开端,一种源自大脑右侧的创造性活动。让我们用手中的笔,无论是铅笔、钢笔、粉笔甚至毛笔,让它随着我们的心自由飞舞,不要奚落、不要限制,别指望着一画就非要弄出幅大师之作来。日久天长,你会惊讶地发现我们都会具有艺术家的天分和头脑中隐藏灵感的创造力,那才是再好不过的事喽。

7. 鼓励女儿在游戏中再创造

父母的人格特征对孩子的创造性有最直接、最持久、最有力的影响。当我们不太在意自己的行为是否与自己的地位和角色相一致时,我们的孩子才更倾向于有创造性。那就别把孩子束缚在约定俗成的事物上,他们的想法一定比我们多得多。

"丢呀丢呀，丢手绢，轻轻地放在小朋友的后边，大家不要告诉他，快点快点抓住他……"这是不知多少代人儿时玩过的游戏。

女儿回到家，动员家人和她一起玩。我们都按规定蹲下来，可奶奶有点犯难，"那就拿把椅子坐着吧"。女儿边吩咐边搬来小椅子。一遍又一遍，看到她乐此不疲玩儿疯了的样子，"咱们能不能变个玩法"。我说。

"老师就是这么教我们玩的呀。"女儿仍然认真地重复着。

"那没关系，这是初级版，你再创造出一种新的玩法，那就是高级版。"我接着鼓励她说："只要和老师教的有一点点不同，你就是高级版的小小发明者。"

女儿想了一下，眼睛一骨碌说："好吧，那你们都闭上眼睛不许看，开始唱歌。"

"丢呀丢呀，丢手绢，轻轻地放在小朋友的后边，大家不要告诉他，快点快点抓住他，快点快点……"我故意拉着长声唱着。

"可以睁开眼睛了。"这时我们都扭向身后，谁也没有发现有手绢。女儿得意地一圈一圈地大步走着。原来她把手绢平平地铺在我的背后，难怪谁也看不到丢在地上的手绢，要不是我180度转弯找手绢被老爸发现，恐怕一晚上谁也捉不着她了。

女儿喜欢折纸、拼七巧板、搭积木、做纸工、画图之类能唤起她创造力和想象力的游戏，我也注意培养她的动手能力。开始我还笨手笨脚地对着书教她折纸，后来我发现还没等我说下一步怎么折，人家早已等着我了。有时她会不按照书上的步骤进行，折出的东西还会冠以美名，我只有赞美的份了，哦，原来折纸也能折出多彩的世界来呢。

记得有一次包饺子，女儿也来凑热闹。我先是让她洗干净手，玩像橡皮泥一样的面。后来女儿不满足光摆弄面，偏要和我一起包。好吧，那就包吧。"妈妈来教你包饺子。"不一会儿，她就不跟我学了，自己盛出一点儿馅，神秘兮兮地拿着饺子皮躲到一边包去了。饺子全包完了，我朝女儿说，"我看看你包的饺子"。女儿把轻轻捂在饺子上的双手一翻，"哇，太奇妙了！"我不禁感到惊讶，她包的饺子形状各异：有小书包、小花篮、小手套、小灯笼，还有小耗子、小猫头、小兔子……"这个是什么呀？""是大高楼呀。"我高兴得手舞足蹈，"快点儿来煮最新出炉的饺子"。饺子熟了，我故意抢着挑着，狼吞虎咽地大嚼女儿为我包的稀奇古怪的饺子。

有些幼儿园，往往都是老师讲好游戏规则带着孩子们玩，没有孩子自由想象的空间。老师一遍一遍机械地重复，孩子无精打采地跟着做。这种指令式的教育方法，常常禁锢了孩子自由表达、创造和表现的天赋，从而带来日后的知识结构单一、创新能力不足等缺憾。

和孩子在一起玩的时候，母亲的作用不可忽视，因为她们是最早陪伴孩子也是陪伴时间最长的人，但母亲占主导地位的观念应当改变，要尽可能地让孩子唱主角。"父母不是一个永远的解答者，而是一个提问者。"传统文化中强调传道、授业、解惑，更多的是告诉孩子一些知识和固有的规则，很容易让孩子套在成人的意愿里。和孩子在一起，无论做想象游戏、户外游戏，还是探索游戏、身体游戏等，不一定要按规定动作完成，应尽量让孩子多出智慧，鼓励他们自由、独立、创造性地发挥他们的灵感。我总可以看到女儿能从游戏中，直至上学后还不断地催生出好的创意，并且充分享受这其中的乐趣。有时我们会发现，从最初持的怀疑态度到孩子灵感出现的惊喜再到后来我们得意的大笑，真的能从中享受到很多出乎你意料的快乐。

创造性永远都是心理学家们研究的课题，他们针对45岁的年龄层进行创造性测验，结果只有5%的人被认定有创造性。接着又在20~45岁的成人之间进行创造性测试，结果竟然也只有5%的人合格。这个结果令心理学家万分沮丧，几乎就要判定创造性是特殊人物才具有的。但是，接下来的测试令他们鼓舞。因为17岁年龄段的结果达到了10%以上。而在5岁的儿童中，具有创造性的人竟高达90%！这充分表明，人的创造性是与生俱来的，只是太多的尾随、跟进、模仿，禁锢了孩子的脑、绊住了孩子的脚和捆住了孩子的手。

每个孩子内心深处都具有创造的源泉，每个孩子都同样具有可能被激发的潜在的创造能力。遗憾的是，我们经常忽视他们这处源泉的存在。蒙特梭利说："我们的目标是训练孩子们成为积极进取而善良的孩童，而不是成为停滞、被动、服从的木偶。"游戏再创造可以使孩子的智力得到发展,从而最大限度地协调孩子的神经和运动功能,同时强化他们的语言、运动和大脑皮质之间的联系。因此,与其说让孩子在你的安排和指派下完成游戏,不如让他们尝试着玩出在我们看来不那么完整,甚至让你感到莫名其妙的游戏,这才是他们自发的、带有真正原创性的东西。孩子们玩耍时父母离他们远一点儿、再远一点儿,你会发现他们比我们的想象更有趣,更有创造力。也许,一个胸有实能、腹有良策的创造型人才就这样产生了。

孩子的评语:

我们已知道的都是过去了的,需要探索的才是未来。也许一切都照大人们说的"照办"最不会出错,可这就大大低估了我们的能力。其实只要我们想做的,无所不能。因为创造力是认识和改造世界的特有方式,通常也被认为是艺术创作的基础,我们在认知世界的同时,才可以构建自己特有的方式和符号。前提是大人们应从教育者变成观察者,我们才有可能从被动者变成参与者。

8. 多说入耳的话

西方有句谚语:"不必说而说是多说,多说要招怨;不当说而说是瞎说,瞎说要招祸。""说什么"与"怎么说"需要很高的智慧,我们应该学会说话的艺术,在孩子面前尽量说出"入耳的话",及时打住"不该说出的话"。

记得女儿还在上幼儿园的时候,一次我去接她。由于去晚了,我想女儿一定是望眼欲穿了。我走到她面前说："妈妈今天又来晚了，你一定等着急了吧？"没想到女儿坐在凳子上一动没动，头一扭，一副不答理我的样子，好言相劝才跟我走了。我一路反思自己，可能是我头天说了几句不入耳的话，引起了她的反感。

"是不是因为妈妈昨天说你再不听话就不要你了，就生妈妈气了？"

女儿点点头说："妈妈喜欢别的小孩，不喜欢我了。"

我意识到自己说错了话，忙说："对不起，妈妈不该说这样的话，伤了你的心。"过了好一会儿，女儿才恢复了以往的笑容。后来我学会每说出一句话之前都要先过过脑子，考虑一下说出的话会产生怎样的结果，我慢慢习惯了先想一想孩子的感受，换位思考一下，如果这么说我能够接受吗？并告诉自己，宁可不说，也不要说些伤害孩子的话。这话说起来容易，但真正做到就不那么简单了。

我得承认，有时候工作一天累了，回家肯定就没了好脾气，似乎跟家人发脾气顺理成章，特别是跟弱小的孩子要威风更是无所顾忌。细想起来，有时孩子无缘无故遭到训斥并不和他们所犯错误大小有关，而是和你的心情好坏有别。心情好时，孩子错的也可能是对的，或是可以原谅的；心情不好时，孩子就可能成了大人的出气筒。如此感情用事是对孩子人格的不尊重。

据说里根总统从不把烦恼带回家，他在外面遇到的挫折越大，回家对家人越和蔼。我也试着让自己"先处理好心情，再去处理事情"。在孩子面前凡事多考虑，不让不该说出的话溜出口，遇事不急着说，不抢着说，关键的是要想着说。

与孩子交流时，大人的面部表情、说话的轻重缓急和用词技巧都不可忽视。后来我在说女儿时，尽量把不好听的话换个说法，多说孩子的优点，先说孩子的优点，把语言重新组织一下，把肯定句变成问句，结果女儿接受起来就容易多了。管住自己的嘴，你会发现自己越来越有修养了，孩子也越来越喜欢你了。

弗洛伊德曾经说过："孩子在他们幼小的时候，不能够完全明辨所有的事情，以为那都是自己的错。所以对很多父母来说，教育孩子不但是义务、是责任,同时更是一门科学,都应该认真地学习这门科学。否则的话,也许你不经意的一件事就会影响你孩子的一生。"

教育孩子的过程的确是教育自己的过程。

生活中,孩子的情感不断受到我们的伤害和打击,这样的情景每时每刻都在发生着,下面这些耳熟能详的句子我们不经细想就能脱口而出:

生活中:我像你这么大时比你强多了!你再跟我顶嘴?我恨不得没生你!再也不想见到你!真讨厌你!有了你,我再也没有一天安宁日子!你这孩子总不听话,再不听话把你送给别人……

学习上:你真是个笨蛋!头脑简单,四肢发达!这么简单的题你也不会!为什么老是记不住,真是猪脑子!你瞧瞧人家学习比你强多了!得一回100分有什么了不起,有能耐回回给我考100!你学习这么差,我对你不抱任何希望了!你少玩会儿电子游戏,我就多给你点零花钱;你考不上好学校就找不到好工作,找不到好工作就只能卖菜……

只要做父母的换位思考一下,如果自己是孩子,你希望父母怎么做,该说什么,怎么说,就找到答案了。要知道对孩子的一生造成深度创伤只需几秒钟,但想疗伤则需要几倍的时间。我们常常知道要"说什么",但很少想"不说什么",以致不该说的话说得太多。一句话能使孩子正面积极,一句话也能使孩子负面消极,就像双刃刀一样,拿捏之间要非常小心,否则伤人也会伤己。看到一段话很有感触,这段话不光在职场灵光,对待孩子也同样适合:

少说抱怨的话,抱怨带来记恨。

多说宽容的话,宽容乃是智者。

少说讽刺的话,讽刺显得轻视。

多说尊重的话,尊重增加了解。

少说拒绝的话,拒绝形成对立。

多说关怀的话,关怀获得友谊。

少说命令的话,命令只是接受。

多说商量的话,商量才是领导。

少说批评的话，批评产生阻力。

多说鼓励的话，鼓励发挥力量。（台湾《职场面面观》）

孩子的评语：

家长如果用没有说服力的不文明的词语"批评"不文明行为，尽管说者言之谆谆，说得舌疲唇焦，而我们听之藐藐，依然我行我素。没有什么比劈头盖脸的责骂、迷惑不解的嘲弄更让我们困惑什么是该做的，什么是不该做的。更倒霉的是，有时你都不知道自己到底做错了什么就挨说，更弄不清楚家长为哪桩事发火。

9. 用身体语言与孩子沟通

一次去文化宫书市，3岁的女儿像个小学究夹着本书得意地走着。这时，一个一米八几的小伙子快步走过来把孩子碰倒了。也许他正在思考问题，孩子摔倒他却全然不知，还是旁边的人看到提醒了他。原来大人是那么容易忽视孩子的存在。我在旁边看着，女儿的第一反应没有哭，而是拼命爬着扑向被踢远的书。那一刻我被感动了。

回到家，我蹲下来按照孩子的高度，用她的视角环视着周围的一切。原来孩子看到的都是大人意识不到的家具的腿和家人行走的脚，看不到大人视野中美好的东西。从那时起，每当我和孩子交流、游戏，都要蹲下来与她保持一样的高度，让她看到妈妈最美的笑容。

生活中，有多少父母愿意站在孩子的心理高度与身体高度和孩子平等交流？

有的父母问我："你与孩子沟通顺畅吗？我的孩子怎么什么都不和我说？"

"不敢说百分之百都能和我说，至少女儿什么话还愿意和我交流。"我回答。

其实与孩子沟通并不难，一切都取决于父母的表达方式。父母说多少并不重要，重要的是孩子说了多少，也就是说，沟通的重点不在于"父母说了什么"，而在于"孩子听到了什么、他想说什么"，两者之间的回应又怎样。

每当我与孩子沟通总爱察看孩子的反应，以此来调整自己的方式方法。我感觉最好的方法莫过于以下几种：

1. "嗯，我明白了。"表现当孩子讲话时，让孩子感觉到我在很认真倾听，并点头给予回应。

2. "是吗？"表明对孩子沟通内容极为的关切，目光与孩子对应，面部根据孩子的话有所反应，形成良好的互动。

3. "哇噻！"表示对孩子的话题感兴趣和关注，让孩子有继续往下说的可能。

4. "真是太好了！"代表很大程度上的赞美与肯定，这时想不让他说都不可能。

5. 目光接触，专注地望着孩子，这是最明显的"倾听"信号。眼睛会说话，你的心态会通过你的眼神流露出来。

倾听是建立父母良好形象的最简单的方法。沟通心理学家一再提倡："在说之前，先学会听。"有一个年轻人曾经拜师苏格拉底，向他求教演讲的技能。为了表示自己出色的口才，他滔滔不绝地对苏格拉底大讲了起来。苏格拉底打断了他的讲话，要他交双倍的学费。那年轻人惊诧道："为什么要我加倍呢？"苏格拉底说："因为我得教你两门功课：一门课是先学会怎么闭口；另一门课是学习怎么开口。"

沟通的语言就像一块美玉，如果拿起来就扔向孩子，再好的玉石也会造成伤害，但是，如果加上精美的包装，诚心诚意地捧予孩子，孩子就会欣然地接受了。

放下家长的架子，随时保持与孩子平等的高度，少说多听、目光投入、微笑赞许，给孩子稍稍施舍一点对父母的形象毫无损失的真诚，那么，你与孩子的感情距离就会拉近不小。

孩子的评语：

罗马时代诗人塞鲁斯说过："我们只对那些对我们有兴趣的人感兴趣。"家长如果能把我们的话听进去，把你们的注意力给予我们，我们感到自己受到大人的重视和尊重，这种没有说教痕迹的互动交流，没有心理距离的平等对话才能使彼此产生共鸣。

■ 10. 一旦许诺，就要兑现

女儿还在上幼儿园的时候，一次在电视中看到小朋友们在游乐园玩儿得开心的画面，我顺口说了一句："赶明儿双休日妈妈也带你去玩儿。"结果说者无心，听者有意。

"妈妈，您不是说带我去游乐园玩吗？"女儿看我周六忙活了一天，周日终于忍不住了问。

"是呀，妈妈答应你去游乐园，可是你没看这天儿要下雨了，怎么去呀？"

过了一会儿，女儿见我还没动静，又说："妈妈骗人，不是好妈妈。"

什么？骗人？我的一句话孩子还当真了？我成骗子了？我可不想落下这个罪名儿。于是拿上雨伞，带着女儿出了门。

街上的行人已经少了许多，整个天空布满了乌云，偶尔可以听见远处的雷声,看样子一场雷阵雨离我们不远了。到了公园我们直奔观景缆车,买票时我问了售票员一句:下雨还可以玩吗?回答:没事。我和女儿坐了上去。看了看这玻璃小房子我还跟女儿说:下雨也不怕了,这小房子至少可以给咱们遮风挡雨。缆车开始启动了,雷声、风声、雨声也渐渐逼进了我们。本来想从上面看看下面的景致,现在黑压压的一片什么也看不清了。我已经感觉缆车缓缓升到了最高点,此时,我们仿佛就置身在乌云中与雷电为伴。天哪,以前玩儿哪个项目都觉得时间过得那么快,还没玩儿过瘾呢就叫停了。现在恨不得缆车马上转完。我一边安慰着女儿不要怕,一边用伞堵住风口,尽管我用尽全身力气支撑着伞,但仍挡不住风雨的侵袭,雨伞已被吹成了碗状,狂风带来的雨水已经把我们娘俩的衣服打湿。此时,女儿已经吓得缩成了一团儿。我也有些担心,但还是故作镇定地说:"这是雷阵雨,一会儿就会过去,我们不怕。"

"有妈妈在我不怕。"女儿的这个回答真是对我承诺的最好回报啊。

"这就是说话要算话的代价。"我像是在和暴风雨吼,又像是在向女儿说。

"妈妈,我们回家吧,我不想再玩了。"女儿依然战战兢兢。

"我们在与暴风雨搏斗,不要怕它。你看,西边太阳马上就要出来了,暴风雨就要过去了。"我简直像电影里的勇士大声地念着台词。

风停了,雨住了,缆车也落地了,太阳又绽放出笑脸,我和女儿经历了一场暴风雨的洗礼。

回到家,老爸看我手里拿着伞却又淋得落汤鸡的样子,不解地问:"你俩干吗去了,淋成这个样子?"

"玩儿去了呗。"我向女儿扮了个鬼脸接着说:"今天,我们可领略了老天爷的脾气了,是吧?"我看着女儿问。

"真把我吓坏了。"

我冲着老爸说:"咱们女儿可勇敢了,一点儿都没哭,老天爷看她那么勇敢,也就低头了。"

老爸还责怪地说:"非得今天去不可?看把孩子淋成这个样子。"

"当然了，我答应孩子的事就得兑现，要不就是欺骗。"我一边帮女儿换衣服，一边对老爸说，"我给你们讲一个说话算话的故事"。

我国古代有个智者曾子。一天他妻子要到市场上去，儿子也偏要跟着去，不让去就哭闹。母亲只好哄他说："宝宝听话，在家里等着我，等我回来杀猪给你吃。"等妻子从市上回来，曾子便立即去杀猪，他妻子连忙上前制止说："你疯了，我是和孩子说着玩的。"曾子说："对孩子是不能这样的，现在你欺骗他，不就等于教他欺骗吗？母亲欺骗孩子，孩子将来就会不相信母亲，这不是正确的教育方法。"说完，曾子就去把猪杀了煮给孩子吃。

管好自己的嘴，别在仓促和无意间允诺，一旦许诺就要兑现。不要以为许诺是暂时哄弄孩子的一个策略，这样做不仅会造成孩子对你的不信认，更让大人在孩子心目中的地位大打折扣。孩子总是把父母当做效仿的榜样，如果你经常说话不兑现，就等于诱使孩子说假话。

也许你没有刻意地告诉孩子什么是假话，可是在你的不经意间，已经告诉孩子怎么欺骗了。

孩子的评语：

　　我经常听同学说如果我这次考试得了多少多少分，我爸就给我买什么什么；如果我能考上什么大学，我妈就给我多少多少钱……遗憾的是他们经常是竹篮打水一场空。我印象中，特别是在学习上，妈妈很少用"如果……就……"造句，虽然少了很多刺激，但没了很大压力。让我也明白了一个道理：什么事情可以许诺，还要看能否做到，一旦许了愿就要履行承诺。

■ 11. 女儿不会看电视

女儿小的时候,我家住在琉璃厂附近的平房。这天我出去办事,下班回家时比以往早了点儿。在进家门之前,我透过窗子往屋里随意扫了一眼,结果看见保姆两眼直勾勾地正盯着电视咧着大嘴傻笑,女儿被放在自己的小床上,欠着身子,眼睛紧紧地盯着那个背朝着她的、不完整的画面。我有些生气地走进屋。

"我不是说了吗,不许看电视。"

"我没有让她看呀。"保姆满有理地站起身来。

"你这样比让她看还难受,你看看,站在这个位置只能看到一点儿光和影,多费眼睛啊。"我把保姆拉到女儿拼命想看到电视的位置。

带着孩子看电视,的确是个不错的看孩子的方法,一举两得。可我觉得电视是个糟糕的替代品,不能让女儿看。保姆知道在这个家不准看电视,走了。

还得找一个呀,到服务中心相中了一个想带回家。其他条件都答应了,保姆问:"你家有电视吗?""有,但是不能看!""为什么不能看?""因为我们都不看,为了孩子,想看只能在孩子睡觉后才可以。""小孩儿哪有不爱看电视的?那我不去了。"保姆嘟囔着扭身走了。

为了远离电视,我决定不请保姆了,女儿1周岁我就带着她每天坐班车上幼儿园。下班接她回家后,我总要带她先到琉璃厂转一圈。先来到古籍书店,再走入来熏阁、邃雅斋,这里的宋版元椠,灿然盈架,旧刻精钞,新印古籍,琳琅满目。看了文奎阁的文房四宝再到荣宝斋欣赏古今字画。独特的建筑、浓郁的墨香吸引着女儿。

农历正月初一开始的厂甸庙会,更是让女儿了解老北京民俗文化的好机会。每年我都带着她来,尽情享受着这里浓郁的地方韵味和民族风情。炒肝、茶汤、面茶、年糕、元宵、豆汁、灌肠、馄饨、糖耳朵、驴打滚、艾窝窝、豌豆黄、糖葫芦……北京的小吃尝个遍。空竹、风车、竹刀木枪、绢花纸花、彩灯风筝、布老虎、万花筒，异彩纷呈，让女儿眼花缭乱。后来女儿喜欢上了这条集图书、古玩、文具、书画于一街的文化街。几天不去，她就要硬拉我往"红房子"走。

现代脑科学研究成果表明，人的大脑两半球在功能上既有高度的协同互补性，又有高度的专门化分工。左脑主要负责抽象思维，右脑主要负责形象思维。阅读时接受文字信息主要用左脑，视听时接受图像信息主要用右脑。电视视听虽然也能听到语言，但对观众来说最有意义的是图像而不是语言。因此，如果电视视听持续若干时间，大脑左半球功能会受到削弱，人在读书时所必需的分析性思维过程就会受到影响，因此，电视会降低读书能力。

华盛顿大学的弗雷德里克·齐默尔曼称，对1800名儿童的分析显示，对不到3岁以及年龄在六七岁之间的孩子来说，看电视会阻碍他们认知能力的发展。看电视有助于锻炼3~5岁的孩子在基本阅读认字和短期记忆方面的能力，但对阅读理解或数学却没有任何帮助，因此看电视的最终效果"有益影响有限"。我同意这样的观点。

让女儿看书，她会把眼睛看到的文字在脑中转化成形象，而电视直接把活生生的形象呈现在你的眼前，让孩子的脑部只能维持在原始的区域运作，无法刺激他们思考区域的发展。

不让女儿看电视，我的初衷实际上是想等她养成了爱看书的习惯后再说，没想到这一等就是十几年，直到现在她仍然不喜欢看电视，有时电视里有采访她的节目，让她过来看她却说："那有什么好看的。"女儿小时候只要在家，我们保证做到不打开电视机。现在女儿长大了，情况反过来了，我们有时看电视，她反会批评我们说："我希望你们要么去锻炼，要么去看书，不怕肚子越坐越大。"现在，只要她在家，我们都不敢看电视了，除了申请看几个固定的节目和报刊评价较好的节目，我们谁都不会把时间用在电视机前手持遥控器的切换上。

孩子的评语：

很多人问我怎么会有那么多的时间做事,我没有过人的精力,也没有非凡的经历,有的可能就是比别人多的自主支配的时间,而这些时间就是从不做那些无用功那里省下来的。

当别人瞪着大眼津津有味地看着喧哗的广告,演员蹩足的表演,拖长的电视剧时,我宁愿把自己关进小屋,坐在灯下咀嚼着无声无息的文字,给阅读它的人予无止境的联想。我更相信自己飞扬的想象力,还要继续做一个电视的背叛者。

■ 12. 动词就是儿童的代名词

当我的儿时已拖着长长的身影渐行渐远成为逗号时,跑、跳、蹦……这样的动词时常在我的面前滚动,那时的车不像现在这么多,住了一个星期学校的我,真盼望着自己飞奔在回家的路上;约上邻居的小朋友,在用粉笔画的房子里不停地跳跃;和玩得来的小伙伴变换着捉迷藏的方式;由两人撑起的跳皮筋儿,居然跳得超越了自己的高度;更让我着迷的是与小伙伴摔打着泥巴,玩得经常是忘记回家。这些以动词引出的各种游戏比起现在各种时尚的玩法土了许多,但在我的童年留下了特有的印记。

有了女儿,我愿意她活泼、好动、聪明、健康。我决定自己带她,让她的童年无拘无束,让一个孩子的天性充分表现出来。

女儿上了幼儿园,我印象中的她一回到家总是愿意像小燕子一样展着双臂、赤着脚在大屋里跑上几圈，直到自己累了，我从不叫停。我心想，女儿也像我这么愿意疯跑，真是有什么妈就有什么女儿。

还有就是，我和女儿一走到沙土堆前就走不动道儿。开始，我们还穿着鞋子玩儿，玩着玩着索性脱下了鞋子，到后来脑袋干脆钻进沙洞，结果弄得满头满脸都是沙，你看看我，我看看你，别提多好玩了。一次，看到一个衣着光鲜的富家子弟，由家人和保姆围着路过此地，他刚想蹲下来玩儿，就被"多脏呀，别把衣服弄脏了"的家长一把抓起。他们走后我对女儿说"他多可怜呀！"女儿高兴得又一头扎向沙土堆。为了洗头方便，我把女儿的头发理得短短的，直到女儿长成大姑娘了，原来的同事有的还说"一直以为你是个儿子呢"。

还有一次我们几个朋友都带上各自的"小崽儿"去海滩玩儿。下海游完泳，我提议让他们尝尝"活埋"的滋味。他们高兴极了，纷纷争抢着让我们用潮湿的沙土把自己埋起来，那感觉一定是美妙极了！这张只露出几个小脑袋沙土人的照片，给孩子们的童年留下了美好的记忆。

当初带着女儿玩儿，也不知道对孩子成长有什么具体好处，只是她开心，我舒畅，直到现在看到一则"玩泥的孩子更健康"的消息，我才知道真是好处多多。一起看看吧：

智利《最后消息报》报道：母亲应该让孩子在泥里玩耍、挖水沟、爬树、找昆虫、玩沙子，这些活动都可以让孩子变得健康。

英国牛津约翰拉德克利夫医院心理和儿科部主任约翰·查理说："充分的科学证据显示，让孩子在调皮、游戏、运动和其他日常活动中随心所欲地弄脏自己，有助于他们的身心健康发展。"这些让父母不高兴的活动，却可以加强儿童的免疫力，令他们反应更灵敏，学习能力得到加强。并且有助于他们与小伙伴互相交流。

查理说："人是伴随着病菌和病毒等病原体长大的，病原体会让人生病，但它同时也有助于人体自然防御系统健康发展，我们在肮脏的环境中成长，因此我们需要一个能够抵抗脏东西的组织结构。"

抵抗方法之一是避免与携带病原体和传染病的东西接触，恶心呕吐的感觉会让人们自己远离那些让人感觉不快的东西。第二种抵抗方式就是人的免疫系统，它可以打击那些引起感染和过敏反应的有害病原体。最新研究显示，用泥巴把自己弄脏，让身体接触泥里的大量微生物，可以使免疫系统"认识"细菌而不会产生过敏性。

一项最新的研究也表明，活泼好动的孩子比那些每天大部分时间坐在电视机前的孩子相比，通常更自信，成绩更好，而且不容易沾染吸毒、抽烟、喝酒和发生性行为等不良习惯。

难怪孩子远离疾病，还真得感谢这些人们不喜欢的"脏东西"和伴随孩子童年的属于他们的每一个动词。也许正是童年时代这种无拘无束的生活，给了女儿日后很多灵感，我从不限制她"不许干这个"、"不准做那个"，因为在我看来，这些没完没了的"不许"、"不准"，恰恰是孩子成长中的灾难。前苏联教育家契诃夫说："人性的发展，在孤独和隔绝中是不可能的，只有在儿童集体的内容丰富而形式多样的生活中才有可能。"因此我特别注重孩子玩耍，支持孩子玩耍，关心孩子玩耍，尽可能地有时间和他们一起玩耍。

孩子的评语：

人生下来就是动词，但遗憾的是，我们有多少活动空间的决定因素不在于我们，家长给属于我们的动词赋予了不同的色彩和内涵。我很高兴动词伴着我长大，我还愿它们继续陪伴着我——快乐地玩着、学着、做着。

■13. 别强化孩子不喜欢的食物

我小时候，也不知道从什么时候开始，在什么情况下对吃韭菜有了禁忌。那时，我母亲带着我只要到外面吃饭或到别人家做客都会告知一句话：这孩子一吃韭菜就吐。其实，每当看见黄绿相间诱人的鸡蛋炒韭菜和闻着香喷喷的韭菜馅包子，我都会垂涎欲滴，真想拿起筷子吃上几大口或拿起一个包子堵住自己的嘴巴。但一想到母亲的话：不能吃，会吐，就只好打住。

过了若干年的一天我回家吃饭，我知道老妈爱吃韭菜馅的主食，于是买了馅饼回去和她一起吃了起来。她老忽然问："嘿，你不是不能吃韭菜吗？"

"谁说我不能吃，我现在可爱吃了，什么事儿也没有。您说我一吃就吐，我倒真想吐出点儿呢，一吃韭菜馅就吃多了。"我心想，少吃了多少年好吃的。

后来有了女儿我知道，孩子越不爱吃什么东西，千万不能逢人就讲，"我们家孩子不爱吃这、不爱吃那……"时间长了，他就真的不吃这个了。如果当着孩子的面数落这些，就更会加剧孩子对这些食物的错误认识。说到底，孩子越来越偏食的现象，往往是父母的负面强化所致。

一次朋友带孩子到家里来玩，我做了几个菜，又做了一大锅"罗宋汤"，说是"罗宋汤"，倒不如说是杂菜汤：土豆、胡萝卜、白萝卜、冬瓜、葱头、圆白菜、南瓜、莲藕……恨不得是菜就往锅里放，反正最后放上黄油，再用番茄沙司一搅和，红红的，什么味儿也吃不出来了。

热气腾腾的饭菜端上桌。朋友看出里面有胡萝卜就对我说："宓宓爱吃胡萝卜呀？"

"是呀，她什么都吃，一点儿也不挑食。"

"我们家小青就不吃胡萝卜，也不爱吃青菜，真没办法。"

"谁说的，他们俩儿都是属兔的，谁说我们不爱吃萝卜不爱吃菜，那就不是小兔子了。"我看着两个孩子，向小青的妈妈挤了挤眼小声说："看我的吧。"

"好了，现在咱们每个人面前都有一碗'罗宋汤'，但是现在谁也不许吃，你们俩儿把眼睛闭上，我把汤里的菜夹进你们嘴里，看谁能说出菜的名字越多，谁就可以先吃了。"我吊足了这两只"小兔子"的胃口说。

"我吃的是土豆。"女儿首先尝出了土豆味道。

"我还没尝出是什么，阿姨再给我一口好吗？"小青已经把胡萝卜咽进肚里了。

"是，是胡萝卜吗？"小青对吃下的东西还有些怀疑。

"快点儿再给我一块儿呀。"女儿张着大嘴等不急了。

"真好吃，我还想要刚才那种菜。"我左右手开弓，忙的都喂不过来了。

胡萝卜、土豆、萝卜、冬瓜、藕，我也记不清放到她嘴里的是什么了，反正他们已经稀里糊涂吃下了不少。

"你俩都是有'品味'的专家。我看，最好你们还是睁开眼睛自己吃吧，我的手都累了。你看，他们俩是不是爱吃萝卜爱吃菜的'好兔子'呀？"我对着小青的妈妈说，更是说给两只"小兔子"听。

两只"兔子"睁开眼睛甚至连看都不看地比赛着又把自己碗里的内容全吃了下去。

孩子越是不爱吃的东西，越是考验我们的厨艺水平。我为了让女儿吃得好、吃得健康，没少在食物的色、香、味、形上下工夫，因为这对增进孩子的进食欲望和学会自己进食将起到非常重要的作用。

一种菜大人吃着好吃，但不好看，孩子不会捧场。因为食物是要经过口腔中味觉细胞的感受后才下肚的，孩子的这种味觉又十分敏感。买上做菜的图解，关心一下厨艺的节目，做出好味道孩子自然就有好胃口了。比如，一个普通的面点，即使再好吃，孩子也不会看上一眼。和孩子一起，借助模子工具改变面点的造型，孩子也许就爱吃了。

孩子的评语：
老妈总是会使我愉快地接受我并不喜欢的东西，在这种氛围下，吃下去的食物就显得不那么重要了，就像吃饭本来就是一种自然的生理现象：饿了吃就是了。当父母的就应该让我们感觉到你根本不在意我们吃什么、怎么吃，关键还是要好吃喽。

14. 孩子不爱吃菜怎么办

到朋友家一进门就见几个大人追着喊着、连哄带吓的让他儿子吃菜，看那样子不像是在给孩子喂饭，倒想是在喂药。

"这孩子吃菜真费劲，想让他多吃点儿菜，就是闭口不吃，真急人呀。"孩子妈妈说。

我问："我发现你平时也不大爱吃菜是不是？"

"是啊，所以脸色不好经常便秘，我就想让他多吃点儿菜。"

"你不爱吃也不用逼着孩子吃呀。"

"那怎么办呀？"

"要是我就爱吃不吃，过时不候，饿了他自然就找着吃了。我们小时候没听说哪家为孩子不吃饭发愁的，只知道有为吃不饱而犯愁的。现在的孩子都是被大人逼得不爱吃饭了，孩子认为吃饭是一种痛苦。"

我始终认为吃饭是人生的一大趣事，尤其是吃菜更是我的一大嗜好。一次到丈夫的亲戚家，主人说你们一定要留下来吃中饭，看那家人忙活了半天，最后搬到餐桌上一小碟、一小碗的菜种类倒是不少，可这菜量太少了。我推了推丈夫说："咱们走吧，别吃了。""为什么？"我向餐桌努了努嘴，"你看那点儿菜,还不够我一人吃的呢"。主人招呼着大家就座,我生怕像在自家似的一筷子把人家一小盘菜夹掉了。总之,这顿饭没吃饱,也没吃好。主人问:"吃好了吗?""好了好了。"我心想:夹菜都得小心翼翼、一根一根地夹能吃好吗?"吃饱了吗?""饱了饱了。"心想:这桌子菜也就是我一人的量,能饱吗?

我在家可是个有名的菜瓢子,通常吃菜不要求质量,只要求数量。女儿随我,只要一问女儿想吃什么,她的回答也总是"吃青菜"。我常说:"你倒好养活,有点儿草就能活。"

一次她老爸做饭,说是天气不好没有出去买菜,想让我们凑合着吃点就算了。"那哪儿行啊!"我和女儿严厉抗议,"没菜不吃饭"。"你们俩哪儿叫吃饭,每天纯粹就是个菜饱。"老爸只好硬着头皮从楼下捏了些菜回来。以后他再做饭,可知道我俩的厉害了:没菜不吃饭,没绿菜不叫吃菜。

其实吃菜这件事特简单,有了孩子的父母,能做到的是让孩子多运动,少零食。在菜品的颜色、味道和品种上多下工夫,让孩子从视觉上先喜欢上各种菜肴,然后在味觉上和孩子一起调出适合他的口味。前提是在一种愉悦的环境中让孩子自主进食,尽情享受用餐的快乐。

还没有生子的父母可要注意了,美国费城一个研究小组进行的研究发现,如果妇女在怀孕期间偏爱某种食物,那么胎儿通过子宫可以"品尝"到该食物的味道,这种首次味觉体验对孩子饮食喜好的形成起着很重要的作用。研究人员朱莉·门尼拉说:"虽然影响婴儿饮食的因素很多,但是,准妈妈考虑自己该吃些什么食物还是很明智的做法。"她还说:"母乳最大的优势是,孩子熟悉母亲所吃食物的味道。婴儿得到这样的信息,什么食物是安全的,什么食物是可食用的。这是一个奇妙的体系。婴儿首先在母亲的羊水中获得这种味道,后来,在母乳中得到,最后在餐桌前首次食用。在羊水或母乳中对食物味道的体验,可能影响孩子断奶后对这种食品的接受程度。"

一些研究表明:准妈妈的饮食能影响他们宝宝的口味。研究人员发现,在哺乳期间,妈妈的饮食习惯与孩子对食物的喜欢有很大关系。专家建议,想让孩子爱吃绿色蔬菜,孕妇自己就要多吃蔬菜。

不知道别的妈妈和孩子爱吃的食物有没有区别,后来我惊奇地发现,女儿和我的偏好(爱吃水果爱吃菜)出奇的一样。还等什么？从自己做起，不为你，为了孩子你马上热爱起绿色蔬菜吧。

孩子的评语：

　　爱吃萝卜爱吃菜，爱吃水果爱吃全麦。难怪我和妈妈的口味出奇的相似，原来要想知道梨子的味道，就得早尝到梨子的鲜儿。记得我很小的时候拿着一包榨菜在吃，有人惊奇地问我："你不怕辣呀？""不辣。"现在才知道这是因为在妈妈肚子里早已吃过N次辣味了，出来后还不亲口尝尝早已品味过的食物呀。

■ 15. 允许在家中"胡闹"

　　生动活泼的孩子不应变得死气沉沉，富有想象和创造热望的孩子不应变得墨守成规。让孩子主动、生动、活动起来，才是成功的教育。为此，我在家中制定了"三胡"政策，鼓励孩子敢于思考、敢于表达、勇于行动。

　　1. 胡思乱想。

　　敢想就是敢于异想天开，敢于想别人不敢想的事。当孩子发呆的时候，不要打乱他的思绪，他们需要时间自己想事情。更没必要因为他们想的与现实不沾边而责备他。

　　遇事自己不去思考和判断，就等于把自己的脑袋交给了别人。在家里，女儿想得越多越离奇我就越为她高兴，她也就越愿意幻想、梦想。"昨天晚上我梦见和鲁迅先生对话了。""那就把梦的内容都写下来、记下来吧。"我经常会用"很了不起的想法"、"哦,你是这么想的,我怎么都没想出来呀"激发她的想象力。

胡思乱想需要营造一种氛围,孩子稀奇古怪的想法有可能在一个更加随意的环境中、在与孩子密切交往过程中产生出来。要想让孩子产生出好的想法,很重要的一点是,让孩子从乱想、幻想、梦想的"数量"开始,而无须注重想出东西的"质量"。

2. 胡言乱语。

现在许多孩子在大人的管教下,已经变得不会说自己的话了,他们学会了观察父母的表情,说出的只是父母想听的话,这样的孩子自然没有独立思考的可能。

不知从什么时候开始,一些奇奇怪怪的问题就从女儿的小脑袋中冒了出来。我非常高兴。我喜欢听女儿天真的童言童语,更愿意让女儿纯真的童言无忌,所以允许她在家中想说什么就说什么,说好说歹没关系,说对说错无所谓。每次我都会认真倾听,并用"说得好"、"说得有道理"鼓励她继续说。

现代社会需要有创造性、独立性的人才。允许孩子说自己的话,允许孩子胡言乱语,甚至是胡说八道,孩子的大脑才会高速运转,里面蕴藏的聪明智慧才能尽快发挥出来。

3. 胡作非为。

胡想和胡说虽然可以让孩子充满激情,但远远不如让他们动手操作更能带给他们快乐。期待孩子每次行动都能成功的想法是幼稚的,要鼓励多多动手、多多尝试,允许做错。一个孩子如果从小就生活在坚实的堡垒中,尽管他感到安全,但很可能从此就养成了接受各种既定概念的习惯。我们完全可以让孩子按部就班、循规蹈矩地进行着平常的学习,一步一步完成着学业,并提前规划好将来的工作,通过学习、了解、沿用、模仿也可以把长大后的问题解决。但一切在可预期中长大的孩子不大可能做出有突破性的东西来。当孩子冒险的时候,才正是一连串成功的开始。一旦机会来临,不敢冒险的人只能做平庸之辈。

孩子的力量是惊人的,如果他对某种事情感兴趣就会采取行动,遗憾的是，很多孩子大了以后就失去了这份热情。我支持女儿用自己的脑袋支配自己的行动，比如她经常说出要去的地方，打起背包就出发；她想做的事情也无须通过我的同意，自己完全可以做主。

我们是大自然的产物，我希望女儿尽可能地保持着她自然的本性，我不喜欢在她身上过早地发现不该属于她的东西。我想我能做到的就是以非传统的方式思考，孩子不必是天才，也不一定先知，甚至可以没有各种文凭，她所需要的只是一个构架和一个梦想以及追梦的过程。

一个孩子的能量有多大，要看我们为他们设置的屏障有多少。我在努力寻找适合孩子的教育，而不是适合教育的孩子。给孩子一片空间，让他去冥想；给孩子一种权利，让他信口胡谈；给孩子的手脚松绑，让他自己成长。

孩子的评语：

想象不需在特定的情况下进行，想说不必考虑是否说得妥当，行动也可以不在约束下展开，我可以感觉到整个人是开放的。也就是，你给我们的内心空间越大，我们的想象力才越丰富；你对我们的禁忌越小，我们创意的能量才越大。这样我们才有可能在想象中、在梦想中、在创造中成长。否则，好的想法也许在上学前就被压制了。

16. 让孩子多思多想

自女儿有思维活动以来，我就经常给她提些问题，让她一定要多想、多想、再多想，实在想不出来，我再告诉她答案，并告诉她这只是暂时的结果。

日久天长，她就养成了多思多想的习惯。比如我问她："你喜欢玩儿的沙土都有什么用？""可以盖楼房、铺马路。""不要想到这儿就止步了，再想。"她会说，"邻居家砌台阶也用得上沙土。""再想一想，还可以有哪些方面的用途？""可以用沙土作画。""对了，我那个沙漏的玩具也是用沙子做的吧……"

女儿再大一点儿和她去超市买东西，我对她说："你说我们排哪个队才能更快地交完钱回家？你仔细观察一下，我们再决定站在谁后面好吗？"她静静地看了一会儿，"我知道了，不一定人少的队就快，主要要看排队人手里拿的东西有多少，这样吧，您排那个队，我排这个队，看谁先到。""果然是你选择的队快，这是你研究的结果，给自己鼓个掌吧！"

一次和几个朋友在饭店吃饭，正赶上搞活动，凡是就餐的人可以参加现场抽奖。酒足饭饱后活动开始了，孩子们爱凑热闹，抽奖当仁不让。

餐馆的规则是：每个人手里的纸条上有一个号码，纸条一式两份，如果抽奖盘里的纸条号码和自己手中的号码对上，就是今天的获奖者。一位漂亮的服务员微笑地向大家说道："抽奖活动马上就开始了，愿意参加抽奖的朋友们速到大门口来。"话音刚落，几个小孩儿冲到门口，一窝蜂似的把手中的另一半扔到一个透明的大盘中，只见服务生折起纸条放入小蜡丸里，两手翻搅了一下，"现在开始抽取三等奖！"几个小朋友迫不及待地顺手抽取了一个，打开一看，有的得了三等奖。女儿站在那儿没抽，而是在一旁默默地看着。"现在开始抽取二等奖！"周围得了奖的小朋友一个个美滋滋的。女儿还是没有动，仔细地观察着。服务生问："还有没有小朋友没有抽取奖？"女儿说："我还没有抽呢！"大家的目光都盯住了她，只见她不紧不慢、不慌不忙地左瞧瞧、右看看，这时候的小药丸已经剩的不太多了，女儿一眼选中了目标，就是它！打开一看，号码对上了。服务生大声地喊道："今天的一等奖是一台电风扇。"回到座位我问她："你怎么那么幸运，这顿饭白吃不说，还得了个电风扇。"女儿神秘地说："因为我发现了一个现象，别的小朋友手里的纸条都是白色的，而我的纸条是粉色的，他们把纸条放在中药的蜡盒里，粉色的毕竟能透出一点点颜色来，所以我选中了有我自己那张纸条的小蜡盒，才能得奖啊。"

我高兴地对她说："以往得奖，我以为都凭运气，你得的这个奖可是用智慧换来的呀！"

孩子的评语：

多想，让我比别人多了一些独到的见解、超常的思维和非比寻常的自信，少了一些从众定势。纵观成功人士，无一例外的是他们都善于勤思、勤想。比尔·盖茨从小就不停地思考，他的家人问他在干什么的时候，他总是说："我正在思考。"如果我们能像他们那样勤于思考并付诸行动，至少也可以步入出乎其类，拔乎其萃之列。

■ 17. 让孩子学会亮出自己

我们都知道，一个人的成功往往是善于利用各种机会。

女儿在上小学时，课上从不主动举手回答问题，这让我很头痛。

我们那个年代的人已经习惯了少说多做，这辈子笨嘴拙舌的我为此吃了不少亏，别人评价的沉默是金、深藏不露是对我最褒义的解释了，其实自己最清楚自己的不足。

我不想让女儿也埋没在"失语大军、寡言集体"的行列中。

为了使孩子能适应将来生存竞争的需求，我让女儿参加了一个口才训练班。她说她不想参加青少年班而愿意参加成人班。结果人家破例同意了她的要求。参加培训的都是成年人，可她丝毫没有感到和成人沟通的不适应，反而大家觉得她很成熟。结束后，她还为学员组织和主持了英语角活动并做了网上论坛的版主。之后，她无论在多大场合进行中英文演讲都不惧怕，侃侃而谈和独到的见解为她将来的成功增加了砝码。

据说美国很重视一个人的口头表达能力。大到竞选总统、州长,小到应聘求职;无论是向别人宣讲自己的政治主张,还是展示自己或推销公司的产品,他们都要精心设计。从服装、形象、讲稿、语音、语调、音量,到面部表情、体态语言、眼神交流、适时幽默等无不力求恰到好处。美国很多学校都设有演讲课和交际课,为的是专门培养学生的口头表达能力。

口才是孩子们必备的应付人生挑战的一种能力。有人说:人才的竞争是口才的竞争。这话不能说全对。但在职场中,我们的孩子缺的不是知识、技能,恰恰是走出自我的勇气。要知道,机会一般来说是不会自己找上门的,只有主动出击,善于表达自己,勇于推销自己,用你的聪明才智吸引别人的注意,才有可能获得机会,在很大程度上也决定着你是否成功。

孩子的评语:

我是追求完美的人,希望自己具有哲学家的深刻、艺术家的灵感、外交家的魅力、演讲家的口才。只要平时多一点准备、多一点注意、多一点勤奋,不放弃任何一个可以提升自己的机会。如果父母能认识到口头表达的巨大优势,让男生不再羞涩,女生不再矜持,就会让我们变得更加富有,更加自信,也更容易成功。

18. 从小事中培养"规矩"意识

上下班高峰时,居住在北京的人对这样的场景不会陌生:机动车不耐烦的喇叭声此起彼伏、弓着腰使足了马力的骑车人呼啸而过、忙碌的行人奋不顾身地闯入疾驶的车流中……我们似乎已经习惯地加入了失去理性的狂奔行列。"红灯停、绿灯行"这个没有人不知道的最简单然而最能保障人们生命的交通法规，早已被人们抛于脑后。

以前，我过马路或骑车闯红灯也是家常便饭。有一天，我骑着带着女儿的自行车，正准备随着几个人奋力闯过刚刚变过的红灯时，一个嫩嫩的女孩儿的声音从身后发出："他们都闯红灯"，我赶紧退了回来，退到了和那个女孩儿和她妈妈的自行车对齐的白线后面。"这个小姐姐又遵守交通规则了"。这声音像是在说女儿，更像是在说我，我为什么丝毫没有意识到有一双眼睛，不，是两双眼睛或更多的眼睛在注视着我们？看着孩子清澈而明亮且充满得意的眼睛，我立刻感到自己无地自容。在我的眼睛四处趔摸着有没有警察、有没有交通协管的时候，却忽视了一双双孩子的眼睛；我们常常叮嘱孩子骑车别抢道、别闯灯，可自己却侥幸地重复着一次又一次的错误。是这个小女孩让我扪心自问，使我重拾起也许已经遗忘许久的东西。

那天晚上，电视正巧播出一则消息，一个女工推着一辆带着饭盒的自行车，正准备过马路上班时，突然被侧面驶来的一辆大卡车撞倒……不知是女工想争分夺秒早点儿上班，还是卡车司机想多拉快跑多赚点钱，总之，他们都是在与红灯抢时间。此时的女工已血肉模糊……一个好端端的家就这样被毁掉了。也许她的丈夫正等待妻子回来商量把居室变得大一点儿，也许她的孩子正准备向妈妈汇报今天取得的好成绩，就在那一秒千钧，一切为时已晚。

不遵守规则不仅反映在交通上，在各个领域也随处可见，小到个人申报的材料，大到以国家名义进行的活动……

我们常常要求孩子在生活中掌握最基本的道德规范，实际上，掌握道德规范这一过程就是孩子的社会化过程，也是他们融入社会的过程，那么，我们在这里应该起什么作用？我们总是教育孩子应当怎么怎么样，而我们自己却经常做得不怎么样，孩子在学校接受老师苦口婆心的正面教育，也许被我们不经意的一个举动就毁掉了。

西方流传着这样一个民谣:丢了一个钉子坏了一只蹄铁,坏了一只蹄铁折了一匹战马;折了一匹战马伤了一位骑士,伤了一位骑士输了一场战斗,输了一场战斗亡了一个帝国。

一个微小的钉子就能影响到一个帝国的兴亡,如果一个孩子的不良举动得不到及时引导和调节,也会给社会带来很大的危害。

我们不是没有老祖宗留下来的传统道德观念,也不是没有基本健全的法律法规。遵守规则是我们每一个现代人必需的品德。规则是社会得以维持的必要手段,规则的遵守一定要求每个人从内心对规则的尊重,遗憾的是我们很多人对规则始终抱着藐视的态度。也许靠我个人的力量无法扭转社会风气和人们的道德观念,但我唯一能做到的是告诉我的孩子,遵纪守法就从遵守交通规则开始。

孩子的评语:

有人这样说过:"你要知道,一个人无法坚持道德上的正确,就会变成违法乱纪的危害人的前奏。"从善如登、从恶如崩,形容的是做好事像登山那样难,而做坏事像山崩那样容易。

我们不能渴求整个社会变得文明了自己再有所改变,而应当把自己看成是社会的一分子,把我们身边的每一件小事按规矩做好。但前提是,父母要带头。切记,在你们身边,始终有一双时刻细心观察你们行为的眼睛。

19. 孩子不是坐不住

经朋友介绍，一位年轻妈妈带着她5岁的孩子从南京来北京，大热天的，说一定要到家里来拜访。不知是由于天气热还是旅行劳累，孩子一进屋就哭啼啼的，坐也不是站也不是，躺下还是哭，几个大人怎么哄也不灵。

"把她交给我吧。"我问了孩子的小名后说。

"妞妞，我猜你一定是累了想睡觉，或者是想画画儿。我猜、我猜、我猜猜猜……"我蹲下来轻声地说。

"我想画画儿。"妞妞立刻精神了，坐了起来。

总算可以把妞妞从大人们因她的吵闹不能交谈的客厅拉了出来。

"走，我带你到姐姐屋里玩儿，看看姐姐画的画，我想你一定比她画得还好。"我牵着她的小手边走边说。

"你看，这张画纸你还满意吗？这笔的颜色够了吗？"我忙着翻出了女儿小时候的画笔，又为妞妞准备了几张画纸。

妞妞在一旁安静地画了起来。

过了一会儿我凑近一看，"哟，快来看，妞妞画得真好呀！你看她颜色用得多好呀，她把一个卡通人的眼睛涂上姐姐带有亮粉笔的颜色，真还起到了画龙点睛的效果呢"。我指着画对她的妈妈说。

"好了，我们不打搅你了，你慢慢画吧。"我向妞妞的妈妈使了个眼色说："就得高帽儿戴着，以鼓励为主。"

我们躲到了一边继续聊。妞妞妈妈说，"她平常一点儿也坐不住，怎么才能让她坐得住？"

"为什么要让她坐得住？"我心想，孩子不傻不呆的，但第一次和人家见面没敢说出口。

"她弹琴弹几下就坐不住了。"

"你看她在这儿画了那么长时间，怎么能说她坐不住？看她那投入劲儿，已经进入自己的世界了。"

"是呀,在家可没有什么事能让她坚持那么长时间。"

"那还用说吗,弹琴是你的兴趣,不是她的兴趣,当然她坐不住了。"

"其实我也知道,看别的家长让孩子学这学那,自己也就跟风让孩子学了。"

妞妞的画儿完成了,得到了我们的赞扬,她又转身写下了她画的数字,拿到我面前展示。0、1、2、3、4、5、6、7、8、9、10,我一看,真不知怎么夸她好了,原来4、5、6、7都写反了。

"教过她多少次了,就是改不过来,总是反着写。"妞妞妈妈没好气儿地说。

"谁说妞妞写反了,我看就没有写错。"我顺势把纸反过来放在灯下指给妞妞看。"你看,妞妞这样写一点儿也没错,只是这几个字不高兴,跟咱们闹点儿小别扭,转过身去了,是吧妞妞。"妞妞一听笑了,拿起笔马上回到桌子前写出了正确的数字。

"我不知说了她多少遍,到你这儿一次就写对了,啊呀,真服了。"

"好了,妞妞都写对了,我们用红笔打上对勾好吗?对了,你写会了这几个数字,就等于能一直写到100。"

小姑娘拿起笔立即写下了100。

"这个100分就是妞妞今天得的,自己给自己打个对勾吧,以后妞妞会照顾好4、5、6、7这几个数字,别让它们老转身不跟咱们玩了,好吗?"

妞妞又笑了,这次乐出了声。

我和妞妞妈妈说:"女儿小的时候,如果哪个字写错了,老师罚写十遍二十遍,我知道了马上让她离开作业本不让她写,而是在玩的过程中让她在地上或在小黑板上写,写对了一遍就OK,然后我把罚的作业模仿着她的笔迹用我的左手帮她完成。在我看来,这种让孩子在毫无意义的重复中做一件事,与痛苦的体罚并无两样,我不想让孩子的学习兴趣就这样一点一点被罚没了。不信,你试试,如果一个字写上十遍二十遍,你怎么看怎么就不像个字了。让孩子愉悦地记住这个字比在被罚状态下更容易记住。"

姐姐又贴到我身边，意思是还想跟我玩儿。我打开女儿书柜，拿出一本汉字图解，这小姑娘居然能照着书拼出每一个字，并能读出这个字的读音。她妈妈说是跟着电视学会的。

"姐姐小时候还没认识这么多的字，会拼这么多的字，你真了不起！"小姑娘一被夸更来劲儿了，一篇又一篇翻着、写着、拼着、念着，直到妈妈催她走了，仍然不愿离开座位。

"告诉我，你是不是特别喜欢这本书？"妞妞有些不好意思地"嗯"了一声。

"你刚才拼出今天的今，也会写了，那咱们今天认识了，阿姨就把这本书送给你好吗？"小姑娘别提多高兴了，拿过书马上说了声"谢谢"。她的妈妈本来已经拿出字条记下了书的名字，这时也高兴地说："这比什么礼物都好。"并接着说："我有一个请求，能不能有什么问题随时请教您？"

"如果你认为我说得有道理，我愿随时提供帮助。"我把信箱告诉了妞妞妈妈。

"妞妞咱们走了，明天咱们该回南京了。"

"不，我不走。"

"你还说人家坐不住，你看，想让姐姐离开还不容易呢。"

我把她们送出了门，妞妞紧紧拉着我的手不放。

孩子的评语：

如果父母注意观察和研究孩子的个性特征，并能够站在自己孩子的角度去观察其所思、所为，从你的眼神里、话语间让孩子接受并改正错误就不难了。

孩子坐得住坐不住不是大人强迫出来的，而是看有没有能吸引孩子让他愿意坐下来的事情。我小的时候对感兴趣的事情能很关注着不动窝，打都打不动，是因为我知道这才是任想象自由驰骋的时候。

■ 20. 幼童不该提前登上小学快车

刚上小学没几天,一天,女儿没等放下书包就问:"妈妈,您总说我聪明,我觉得我并不聪明。"

"为什么说自己不聪明?"我问。

"我旁边的男生上课还没等老师说,他什么题都会做,他才聪明呢。"

"他一定是上了学前班,是不是?"我对女儿说。

"是,那您为什么不让我也上呀?我不想落在他后面。"女儿有些沮丧。

"你上学之前和妈妈一起玩得愉快吗?"我又问她。

"嗯。"女儿点了点头。

"要知道,在你高高兴兴玩的时候,他已经手背后端端正正地坐在教室里了。所以他好像比你知道的早一点儿,会的多一点儿。其实大人这样做对孩子并没有什么好处,比如你说的同学,他一看老师教的知识他都会,就很容易产生自满情绪,认为我都会,就不认真听讲了。可是以后要学的东西还多着呢,如果他养成了不集中注意力听讲的习惯,以后他早学的这点儿优势用完了,很容易就会落下来了。你只要认真学,一点儿也不会比他差!不信咱们骑驴看唱本,走着瞧!"我为女儿打足了气儿。

女儿好像明白了一点儿。

我接着鼓励她:"其实你已经在边玩儿边学中学到了很多东西,现在也许还没显现出来,妈妈相信你在学习上一定是有后劲儿的。"

"什么是后劲儿?"女儿不解地问。

"有一个成语叫做厚积薄发,厚积就是多多积累,薄发是指慢慢放出。只有厚积才能薄发。厚积薄发在学习上的道理简单讲就是,有了平时的积累,然后才能有一朝的喷发。现在他显出比你强一点儿,这只是暂时的现象,因为他只不过比你先学了一步你现在学的东西,真正强不强是要看他以后的表现。妈妈还是那句话:你是最聪明的,相信自己吧!"我用坚定的眼神看着她说。

还没过一个学期，一次女儿就告诉我："妈妈，×××有的作业不会做，他还问我呢。"

"当然喽，就像马拉松赛，最后的冠军未必就是当初跑在最前头的选手，是吧？"

女儿轻松地一笑。

慢半拍，是这个时段应该放慢节奏，使孩子能欣赏到舒缓的乐章，实际上整个乐曲的长度并没有慢下来。面对目前幼教小学化风行的局面，很多专家、学者无一例外地持反对态度。东方爱婴研发工作中心主任高寿岩在自己多年的幼教工作中就发现，提前接触小学课程的幼儿，在刚上小学的时候，可能会显现出比别的孩子更优秀的一面，但过一段时间后，会明显感觉到他们的后劲不足。他说，之所以会出现这样的情况，主要是因为学生的学习是在教师主导下的求知过程，所学的知识必须是新鲜的，而且带有一定困难，需经努力方能求得。只有这样，学习者才能自始至终兴趣盎然，像登山一般拾级而上，直至知识的顶峰。否则，所学的是已知的，学后无所得，不仅激发不起学习的兴趣，反而产生厌倦情绪。

著名社会学家邓伟志教授早在1978年就调查过一个大学的神童班，那里的孩子学得多、全、杂，知识掌握得也非常全面。但与这些孩子当年的光芒相比，如今他们中的一半人都非常平庸，这应该给家长带来一点启示。

家长都希望自己的孩子早成才，但如果揠苗助长其结果会与初衷背道而驰。有人说"早期教育没做好，孩子这辈子就完了"。这话不无道理。欲速则不达。幼童阶段不应该着急让孩子学会具体如何做，而应是从全面发展入手，培养他们的手脑协调能力，能够自由流畅地表达自己观点的能力，以及自主性和创造性。激发起孩子内心的需要，给予他们独立学习和获得经验的机会，以后十几年自己就知道如何做了。

孩子的评语：

让我们提前坐进教室，无疑会使我们用眼睛去观察、用耳朵去聆听、用手去触摸、用心去感受周围一切的能力衰减。

也许每个父母因为出发点不同,行车的速度不一,路途遇到的路况各异,所以抵达目的地的时间肯定有别。但无论如何,父母不应该将我们带上一条背离我们天性、违背我们成长规律的可怕轨道。

感谢我的妈妈让我在该做什么的时间里做对了我该做的事情,而不是在我不该做这样的事前错误地强加于我。

21. 自信心必须从小建立

回顾自己不成功的原因,很大程度上归咎于从小就不自信。因为在我最需要这股力量支持的时候,得到的不是鼓励,而是冷水浴。记得我上小学的时候,一次收听"小喇叭"节目,节目最后播音员发出了向小朋友征集歌词的邀请,当时我心情激动,不知哪儿来的一股劲儿,当即和妹妹写下三段歌词寄出。于是每天的守候,焦急的等待,终于等到自己创作的歌曲播出了。当播音员念到我们姐妹俩名字的那一刻,我不知道世界上还有什么比这更令我们激动的了。妈妈下班回来,我们争着把这一喜讯告诉她。

"我们的歌儿,今天播出了!"我们激动不已,没等妈妈站稳就大喊着。

"怎么可能,屎壳郎能作蜜谁还养蜂?"妈妈看着她一向宠爱的妹妹,瞥了我一眼。

"是真的!"妹妹坚定地说。

"我也没听见,再说,播了又有什么值得骄傲的?"我多么希望得到一句鼓励的话，哪怕是轻轻地抚摸一下头，然而，我的心彻底凉了，发誓以后再不做这种事情。

现在想起，也许是那个时代不允许人翘尾巴，也许是妈妈以为这样说可以产生一种刺激作用，让我更加奋发。可我当时还小，我理解不了这是什么意思。每当想起这话，我都在暗示自己，我不是一个可以做大事的人。久而久之，赢的激情荡然无存。

无独有偶，女儿又正值小学阶段。一天，她拿着《北京青年报》在我面前晃动了一下，我没理会，心想每天都看的报，有什么稀奇的，再说女儿也不到看这个报的年龄。

"您看过今天的《北京青年报》了吗？"

"看过了。"

"都看见什么了？"

"不就是……"我把大标题的内容胡乱说了一通。

"网络版看了吗？"

"看了，没什么好看的。"

"您再仔细看看。"说着女儿把摺成16开的报纸一角举到我面前。

我定睛一看：一个13岁少女网上购物的标题展现在眼前，再往下一看，作者由宓。

尽管是不折不扣的"豆腐块"，我为她敢于往这样的大报投稿感到惊喜。

"都怪我有眼无珠，怎么连我家小才女的大作都没看见，我得好好看看。"我最知道此时的女儿最想得到的是什么样的赞美，故意做出一副像大近视眼似的把报纸贴得近近的样子。

"别看文章不长，写得精到、有趣。"我美滋滋地品味着、夸奖着。我有些好奇，"唉，你怎么想起投稿的？"

"我翻了你的报纸，看有征文就随便写了一篇。还是我们班老师发现的呢，这张报纸是她给我的。"女儿兴奋不已。

"只有经历过由钢笔字到铅字的人才最能体会到油墨的香味，是吧。妈妈真的很喜欢你的写作风格。"我把女儿搂在了怀里。

自打那时起,她一写不可收拾,文章经常见诸报端、杂志,高中开始自己编剧本,大一已经是几家报纸、杂志的专栏写手。

我和女儿的经历告诉我,孩子的自信心必须从小建立。一旦孩子的自信心建立了,对自己的能力有了正确的认识,他们的潜能是无法估量的。

孩子自信不自信,通常表现在他们的行为上,自信的孩子总能迎着困难上,不自信的孩子总是往后缩。生活中孩子"无主见"、"随大流"的从众现象也大多是缺乏自信心所至。高尔基说:"只有满怀自信的人,才能在任何地方都把自信沉浸在生活中,并实现自己的意志。"大凡在事业上有所成就的人,都具有坚定的自信心。

然而,造就不自信孩子的人往往正是最贴近他们的人。

还是经常给孩子一些增强自信心的机会吧。

孩子的评语:

我们一旦被父母发现,才可能发现别样的自己。信心越用越多,自信越来越强,当你的自信达到一定程度的话,就不需要别人对你的好坏作出评价,你会经常感受到自身价值的存在。我长这么大在物质上母亲没有给过我更多,但是给我的自信足够多。

22. 讽刺是自信的杀手

女儿回到家急忙拿起一根跳绳自己跳了起来,幸好楼下的爷爷回四川不在家,我也没有管她。我在厨房做饭,听到"咚咚"的声音已经响了半天,她好像还没能连续跳一个以上。饭做好了，我走到屋门口看到女儿仍在认认真真地跳着。但发现她姿势不对，一只手臂自然地摇动着绳子，另一只手臂直伸着，两只胳膊僵硬地形成90°的样子。我看后噗哧一笑，"就这姿势难怪你老跳不好"。我学着她的样子手臂摆出一个90°的姿势。满头大汗的女儿一下子停住不再跳了。

吃完饭，我想教教女儿怎么跳，结果说什么她也不跳了。

后来我反思自己，可能是我对女儿在认真做某件事时表示出的轻蔑，使得她不高兴，再有就是用带有嘲讽意味的动作学她就显得更糟糕了。

怎么办呢？承认错误吧。

"对不起，你跳了那么半天其实已经离会跳只有一点儿距离了，我不该嘲笑你，应当帮助你。可能是家里地方太小不好跳，咱们明天到楼下去跳好吗？""嗯。"女儿答应了一句。

第二天一早，我对她说："咱们到楼下跳绳吧，这回你拿一根我拿一根好吗？"女儿高兴地和我一起跑下楼。

"咱们先这样吧，你先看妈妈怎么跳，你先学着妈妈的样子不拿绳子空跳，让手和脚先协调起来好吗？预备，跳！"女儿学着我的样子和我面对面地跳了起来。

"非常好，看你现在的姿势非常正确，咱们俩的节奏也一样，真是太好了！"我稍停了下来说："这回妈妈带着你跳，就像刚才一样，你只要和妈妈的动作一致咱们就都能通过这绳子，我喊'跳'咱俩就一起跳，注意，一定要精神集中。"女儿面对面和我站好，我摇起了绳子"跳……跳……跳"我后来不喊了，我们俩也能像一个人似的步调一致地用心跳着。"累死我了。"我终于累了要求暂停。我蹲在地上说，"你自己试试跳吧。"女儿拿起了绳儿，也许是因为昨天我嘲笑她的阴影还没散尽，她一拿起绳子就躲到一旁的小花园里跳去了。我背着脸假装没看见，只用余光看看，她还是跳不了两个，再仔细一看原来是绳子太长了，难怪绳子在她手里不听使唤。我对女儿说："我发现不是你的问题是绳子的问题，过来咱们这样试一试。"女儿跑过来我把她手中的绳子向两只手上各绕了两圈。"这回再试试吧。""一个、两个、三个……哇，你跳得真棒！"

女儿在我的鼓励下越跳越多，不一会儿她就和我叫板了，"咱俩比赛吧，看谁跳得多"。"好吧。"

从那以后我再没有讽刺挖苦过女儿，在日后和女儿相伴的岁月里，无论在学习上还是生活中我都用鼓励赞美的语言伴她一路走来，时时处处就像自己受到别人尊重一样尊重女儿。

孩子还小时，没有能力对一件事做得好与不好作出自己的判断，全凭周围人的评判。这时，鼓励的言语非常重要，而能够给予他们这方面帮助的就是他们信赖的父母。冷嘲热讽只能事与愿违。我们做任何事情都要考虑到这点，否则就会使孩子丧失自信心。

孩子的评语：

没有谁会拒绝表扬和鼓励，但嘲笑和讥讽带给人的感受却是相同。不管我们在外人看来怎样不行，但在最后一道防线的家中只要能得到父母承认，我们就一定还会努力，不会沉沦下去。反之，也许无心说者就会给有意听者带来灾难。

23. 习惯是学习的同义词

我一个球友朋友，孩子还没上学就开始犯愁了。这天，他跑过来说："我儿子要上学了，听说你女儿挺棒的，取取经……"

我问："你最希望儿子怎么样？"

"我想让他学习好啊！将来能上大学。"他脱口而出。

我对他说："想让孩子学习好只是一个愿望，你应该换个说法，那就是，我怎样做，孩子才能学习好？"

"是啊，我做好准备了，不就是帮助孩子复习、预习功课，给他检查检查作业，监督他一天的课听懂了没有，还有帮助孩子准备准备第二天上学的东西什么的……"朋友已然做好了一个合格监工的准备。

"你要做的这些活儿，我都没做过。从小就要培养孩子的责任感，要对自己负责。直接指导孩子学习的是老师，你需要做的是正确引导孩子，为孩子创造好学习条件。其实，要想让孩子学习好，最主要的两点做到了，你就省事了：一个是让孩子养成良好的学习习惯；一个就是给孩子创造良好的学习环境。"

"你什么都没管，孩子还能学习好？"他有些不解。

"其实，家庭教育就是好的环境的教育。我们两人在孩子做作业的时候，从不打开电视机，总有一个人在读书，你自己要读书就不怕孩子不读书，别小看这'猴学样'，孩子看到父母也在读书，自己也自然会安安静静地做作业了。你想，如果你工作了一天想休息休息，一进门就打开电视或打牌、搓麻什么的，让孩子去写作业，人家也累了一天了，他心里能平衡吗？为了孩子，你装也得装出个样来。"我不客气地说。

"那我们家可做不到，他爷爷奶奶在家整天开着电视，即便我们俩做到了，可也不能要求老人家那么做呀。"看得出，朋友心里很矛盾。

"孩子学习时，我们需要孩子养成良好习惯的同时也要消除我们自己的一些不良习惯。这一定是双向的，你要求孩子做到的，你自己都做不到，还有什么说服力？"我又说。

"我们家老人不光爱看电视，家里还经常吵吵嚷嚷的，经常摆上一桌，看来我们还是暂时搬出去更好一些。"朋友想明白了似的说。

"其实搬出去也大可不必，没有受过正式教育的大文豪高尔基的第一个文学教师就是他的外祖母，一个没有文化的妇女。他的外祖母在他幼年时期经常给他讲俄罗斯民间故事传说，使他幼小的心灵第一次走进了文学殿堂。

不在乎和谁在一起,而应注意周围人为孩子营造的环境。"我不赞成他撇开老人的想法。

他接着问:"好环境可以创造,那好习惯又怎么养成?"

赫尔是20世纪上半叶最著名的行为主义学习理论家,他说:"学习中所包括的基本成分是习惯,习惯是学习的同义词。"因此,学习的过程就是形成习惯的过程,而良好的学习习惯一定要及早养成。

"具体点儿,怎么做?"

我对他说:"你要与孩子商量,共同决定放学回家后到就寝前的时间管理,告诉孩子,时间对爸爸妈妈和你都一样多,认认真真在最短的时间内完成作业,剩下的时间都是你的了,你可以自由支配做自己想做的事情。"

"我儿子可调皮了,他要是不听怎么办?揍管不管用?"朋友以为自己还有最后一招呢。

"千万不能打,你要让孩子带着好心情去养成好习惯,这可比带着责怪的坏心情去养成好习惯容易得多。做得好,及时表扬,好习惯慢慢就容易形成了。"我对他说。

"学习上怎么辅导他?"朋友还是问个不停。

"我和别人的做法不同,我采取的做法是'三不管',作业不会做,不管,自己解决;有问题了,不管,自己查阅资料解决;预习碰到困难,还是不管,带着问题去听讲。我们只管回答孩子课本以外的知识,这样做是让孩子尽量养成自己解决问题的能力。我们从不轻易告诉女儿任何答案,都是鼓励她多想一想、再思考一下,教会她参考课外书或使用工具书,增强她的学习效能。通过各种方法她总能找到答案,一种征服后的成就感便会油然而生。再就是激发孩子学习的动机,有一阵子女儿对恐龙特别感兴趣,说自己将来想当考古学家。那好,这个愿望只有通过你自己的努力来实现了。因此她形成了自己的学习期望,而这种期望只有通过孩子自己的体会才能形成,而不是家长告诉的结果促成的。"

美国心理学家桑代克认为:人的一生是什么,成什么,都是他初期结构以及生前生后凡是能影响他一切势力种种所成的效果。前者称为"本性",后者称为"环境"。人的学习就是人类本性及行为的改变。我国古代教育家颜之推也曾说过："人在少年，神情未定。所与款狎，熏渍陶染，言笑举对，无心与学，潜移默化，自然似之。"

教育家叶圣陶说得好："什么是教育，简单一句话，就是要养成良好习惯。"一个好习惯的养成取决于良好行为倾向的强化次数。作为家长，不轻易插手孩子的学习，更能培养他们的主动性、自觉性和独立性。重要的是指导孩子让他们养成能够为自己提供学习线索的习惯，从而成为真正独立的学习者。

孩子的评语：

我很庆幸我遇到了一个重视学习习惯和方法，而不是学习结果的父母。学习习惯的养成让我用较少的时间得到较大的收获，最大的收获是学到很多书本以外的知识。

我觉得家长的任务不是教我们多少知识（因为不是所有家长都有能力一直辅导我们的学业），也不需要反复告诉我们应该怎么学（大道理谁都懂），而是提供一种能够促进我们学习的环境氛围，为我们提供各种学习的资源，以便让我们自己决定如何学习。

24. 做独一无二的自己

"妈妈，我的一个朋友的小名叫'叶子'，这个名儿的叫法挺特别的，可我不明白，干吗叫个不起眼儿的'叶子'呀？"

"你看看你采集的各种树叶的标本就知道了。你想一想我们捡了那么多的树叶,它们有什么不同?"

"颜色不同,形状不同呀。"

"你再看看相同的叶子有什么不同?"

"不就是颜色深浅、大小有点儿区别嘛。"

"是的,世界上没有两片完全相同的树叶,其实人和树叶都一样,每个孩子都是世界上独一无二的。我想,她的妈妈就是想让这片独特的叶子以自己最美的姿态展示自己,所以给她取了这个名字。"

"那我也是独一无二的一片叶子,我也是世界上独一无二的啦。"

"当然喽。你是我们那个标本里还没寻找到的最美的一片叶子。妈妈再给你讲一个故事。"

一个年轻人对智者说:"老师,我觉得自己什么事也干不好,没有人看重我,我该怎么办呢?"

智者说:"孩子,我很同情你的遭遇,但我不能帮你,因为我必须先处理好自己的问题。"智者停顿了一会儿后说,"如果你愿意帮我,我就可以很快处理好问题,然后也许就能帮你了。"

"好吧。"年轻人犹豫了一会儿后说。

于是智者坐下来,从手指上脱下一枚戒指交给年轻人说:"你到集市上把这枚戒指卖了,因为我需要钱还债。换回的钱越多越好,无论如何不能少于1个金币。"

年轻人到了集市,但是,听年轻人说戒指不能少于1个金币,集市上的人有的哈哈大笑,有的说年轻人头脑发昏,只有一位慈祥的老太太告诉年轻人他要价太高了。年轻人穿过集市,到处兜售戒指,但没人肯出1个金币。年轻人垂头丧气地回来了。他多想自己能有1个金币,这样就可以把钱给智者帮其还债,而智者就可以给他忠告和帮助了。

年轻人说:"老师,对不起,我没能达到您的要求。也许我可以卖到2个或3个银币,但我觉得那不应该是这枚戒指的真正价值。"

"年轻朋友,你说得太对了。"智者笑着说:"你再去一趟珠宝店,没人比珠宝商更清楚它的价值了。你跟珠宝商说我要把戒指卖掉,问他能出多少钱，但不要真卖戒指，问完价格后你再带戒指回来。"

珠宝商仔细看了看戒指后说："告诉你的老师，如果他想卖戒指，我最多可以给他58个金币。"

"58个金币！"年轻人惊呼。"对。"珠宝商说，"如果不急的话，我可以出70个金币，可是你着急脱手……"

年轻人兴奋地跑回去，将发生的一切告诉智者。"坐下，"智者说："你就像这枚戒指，珍贵、独一无二，不过，我们进入生活的市场后却希望让毫无经验的人肯定我们的价值。"

我们的孩子，有没有父母告诉他，正是因为你的独一无二就是你的价值所在。然而现实中，孩子被简单的几把尺子衡量着，被高分高考、家里家外联合起来的东西施压着。这样，我们就很难想到孩子的与众不同，更难看到孩子的独一无二。我们的任务不该是去替代孩子的发展方向，而是去发现他们的独一无二，并加以引导、保护，让每个孩子绽放出属于他们自己独有的光芒。

孩子的评语：

妈妈说不希望我像任何一个人，任何人也不可能像我，只希望我也能像叶片一样成为独一无二的我自己。

■ 25. 学习别人的，不忘记自己的

一次，女儿回到家不高兴地说："×××真讨厌！……"

我耐心地听完她的叙述，反问道："他身上那么多缺点，有优点吗？你能

不能说说他的优点。"

女儿毫不客气地说："他没优点！"

"哦，他真是一个可怜的人，竟然一无是处。"我接着对女儿说："那你能不能说说你自己的优点呢？"

"我比他强多了！"女儿一连串讲出N个好。我在一旁也添油加醋地补充了她看不到也想不到的优点。

"妈妈，原来我这么好呀？"女儿异常惊奇地问。

"是啊，你的确就是这么好，也许你还有好多好多的优点妈妈还没发现呢。"

接着，我又给她讲了这样一个故事：

一天，有位老师进了教室，在白板上点了一个黑点。

他问班上的学生说："这是什么？"

大家异口同声说："一个黑点。"

老师故作惊讶地问："只有一个黑点吗？这么大的白板大家都没有看见？"

"你看到的是什么？每个人身上都有一些缺点，但是你看到的是哪些呢？是否只看到别人身上的黑点，却忽视了他拥有的一大片的优点？其实一个人必定有很多优点的，换一个角度去看吧！你会有更多的发现。

"妈妈给你列举出你身上那么多的优点，可是你还有一个小小的缺点，那就是：且听下回分解。"我的语调不疾不徐。

女儿迫不及待地让我讲出来。

那——就——是："你不太会赞美别人。有人说过：经常赞扬别人，从别人那里得到赞扬也特别多呦。"

"那还不简单。"女儿不屑地反驳。

"这样吧，咱们做一个小游戏，用最短的时间列举出形容人好的词，再说出形容一个人坏的词来。"我边说边拿出两张纸，"这张你写好的，这张我写坏的，写满打住。"

于是你一句我一句，女儿一会儿就抢着横七竖八地写满了一张纸，连边角的地方也塞满了字。

"停！"女儿抢先叫了停。

"真不好意思，我才疏浅薄，实在想不出来了。"

"还是我的词汇量多吧。"女儿一派胜者的样子。

"看来还是褒义词打败了贬义词。嘿，你说说，平时人们习惯看到别人的优点多还是缺点多？"我装出一副移樽就教的样子问她。

"嗯，还是缺点多吧。"女儿说。

"没错！这也许是大多数人的习惯吧，我也吃过这样的苦。妈妈原来看到别人比自己强，不但不学人家的长处，还有些嫉妒。后来发现，别人并没有因为你的嫉妒而停止步伐，而我自己却因此而一度停止不前。"我懊悔地说着。

接着我又对女儿说："妈妈希望你今后不再讲别人的不是，换个角度看待别人，尽量发现别人的长处。平时要养成一个习惯，尽量挖掘每个人优秀的一面，去学习他，日久天长与之相伴而来的是：别人的长处加上你自己的优势不都是你的了吗？"

女儿好像明白了。

没过两天，女儿一进门就羡慕地说个不停，"别的班有个×××，真棒！他做的事情真令人钦佩……"

"哦，你这么快就发现别人的优点，真是太好了！"我高兴地看到了女儿学会欣赏别人的转变。

从此以后，女儿很少谈及别人的不是，总是听她赞美别人的长处，并且也从他人身上学到了很多东西。

《三国演义》中的刘备，文才不如诸葛亮，武功不如关羽、张飞、赵云，但他有别人不及的优点，那就是一种巨大的协调能力和凝聚力，他能够吸引这些优秀的人才为他所用。让孩子明白，能够发现别人的才能，并能为我所用，就等于找到了成功的力量。聪明的人是善于从别人身上汲取智慧的营养来补充自己的。

引用一位意大利老师对学生的一句话："不要让嫉妒的蛇钻进你的心里，这条蛇会腐蚀你的头脑，毁坏你的心灵。"让孩子记住，嫉妒之心不可有，宽容之心不可无，永远学习别人的不忘记自己的，你的孩子一定会成为一个了不起的人。

孩子的评语：

《贞观政要》记载唐太宗李世民说："以铜为镜，可以正衣冠；以人为镜，可以明得失。"

何谓以人为镜？第一，以人家的优缺点为镜，从中可以汲取很多的养料，一个肯学习的人，到处都是学习的镜子；第二，以别人对己的态度为镜，大可明白人性的种种，自可明白"得失"。

像妈妈赞美我一样，我学会了赞美周围的人。赞美别人是一种胸怀，放大别人的优点就等于缩小自己的缺点。看到别人最优秀，才有可能让我成为最优秀。

26. 分享是独生子女必修课

"明天就要到草原上骑马住蒙古包喽。"女儿抑制不住喜悦的心情对老爸说。

"那咱们准备一些明天要带的食物，你看，小食品这么多够了吧？再带上5个芦柑。"

"为什么带那么多？带两个，妈妈一个我一个不就够了吗？"

"明天加上你一共5个小伙伴都要去，为他们带上，到了那儿你分发给他们好不好？"

"我不带，那么沉，再说他们的妈妈也会自己带吃的呀。"

上了车，女儿看着每个妈妈手里都拎着大包小包的就说：

"我看他们都带了水果了，芦柑就留着咱们自己吃吧。"

"不能把芦柑都自己吃掉，你想想，如果你把芦柑都吃掉，吃到的只是芦柑的一种味道。不要以为把它送给他人是自己吃亏了，实际上你能得到其他小朋友的好感。也许别的小朋友看到你拿芦柑与他们分享，他们也会拿出自己的东西和你分享，这样，你就会从别人手里得到一个梨、一个苹果或者其他什么东西，你得到的不仅是几种不同种类的水果、不同味道的品尝，更重要的是你得到的是几个朋友的友情呀。"

女儿把大大的芦柑每人一个分了下去，不一会儿，女儿也收获了果实。

来到草原，这些看惯了城里的水泥丛林的孩子，像摆脱了缰绳的小马奔跑着。马和骆驼都骑了，一天的兴奋意犹未尽……接下来就是要住进他们向往的从来没有住过的蒙古包。

蒙古包数量有限，我们大人决定让给几个孩子住。但不知什么原因，我们原订的两个蒙古包被临时取消了一个，真是扫兴极了。

"那怎么办呀？"孩子们都噘起了小嘴嘟哝着。

"这个蒙古包，最多也只能住4个人呀，那就让球球和你们大人一起住吧，因为她太胖了。"一个孩子发话了。

躲在一边的球球听了这话，眼泪"刷"的流了下来。球球妈妈怎么哄也不行，哭着喊着说"不、不，我也要住蒙古包"。

我对着正要转身走进蒙古包的孩子们说："等一等，你们先别忙着住进去，如果有一个朋友住不进去，那个人是你自己，你们想过没有？快乐是要让大家分享的，如果这样，那你们几个也只有放弃住蒙古包，大家都改住房子里面吧。"

"不行、不行，我们就要住蒙古包！"

"那怎么住，你们自己商量解决吧。"

"本来就够挤的了，她那么胖，让我们怎么睡呀。"那个女孩又说了一句。

"要不然我和妈妈睡进屋里，让球球睡蒙古包吧。"一个女孩主动让位。

"咱们只要把过道铺上一个垫子，不就行了吗？大家把鞋脱在门口。"女儿想了一个让大家都能接受的办法。

"好，就这么办！我去跟管理员要垫子去。"

女儿和圆圆拉着球球的手一起钻进了蒙古包。

温柔的月光包裹着蒙古包，从那边传来了孩子们的笑声。

自私是人的本性，独生子女更容易养成一种叫理所应当的习惯，他们不愿与人分享也是自然的。与别人分享不是孩子天生就会的，我们必须给他们补上这一课，教会他们如何去做。现实生活中，我们的孩子什么都有了，可他们变得越来越自私了，沟通的渠道够多了，可孩子变得越来越独了。他们已经习惯了家里所有人的东西都是自己的，而他们自己的东西决不会让给别人的。这种毛病如果长期得不到纠正，孩子将来很可能是一个可怜的人，因为他以为到了社会上，以为人们也会像自家人那样一切服从自己，实际上到那时是没有人会在乎你是谁的。如果孩子什么都不愿与他人分享，也就很难与别人形成良好的人际关系，在将来的工作中不容易和别人进行合作，在竞争激烈的社会里再去补课已为时过晚，很可能因此惨遭淘汰。

曾经有一位记者采访过一位诺贝尔奖获得者："您认为您在哪所大学或实验室学到了最重要的东西？"获奖者回答说："在幼儿园。我学到了把自己的东西分一半给小伙伴；不是自己的东西不要拿；东西要注意放整齐；饭前、便后要洗手；做错了事要表示歉意；午饭后要按时休息；要仔细观察周围的大自然……我学到的就是这些。"这看似过于简单、过于平凡的回答，却耐人寻味，我们是不是可以从中悟出一个很容易被人忽视了的道理：这就是要重视孩子良好习惯和人格的培养。善于与他人分享、合作是时代的要求，是孩子日后生存和发展所必须具备的本领。

其实做到并不难，从小父母不需要把收入过分地花在孩子身上，也不要把注意力过多地聚焦在一个点上，这样，孩子自然就不会把自己看成是家庭的中心了。

孩子的评语：
和别人分享自己的玩具，比自己一个人拥有一样玩具更有乐趣。

会不会分享其实是大人做的功课，我们反映出的是成绩。一种是：家庭中众多大人关心照顾的唯一对象，所有的好的东西都应该由自己先享用；另一种是：知道了给予别人与他人分享的人，才会感受到因为自己的给予和分享而得到他人的给予和分享。

■ 27. 玩耍中对知识的体验会更深

"让我们荡起双桨，

小船儿推开波浪。

海面倒映着美丽的白塔，

四周环绕着绿树红墙。"

女儿哼唱着，我也加入了进来。

"小船儿轻轻，飘荡在水中，

迎面吹来了凉爽的风……"

"唉，您也会唱这首歌儿？"

"当然了，这歌儿已经伴随过几代人成长了。当年领唱的那个阿姨我们还在一个团唱过歌呢。"

"可惜我只看见过船，还没有划过船呢。"

"好啊，天气预报明天的天气不错，咱们就去划船怎么样？"

女儿拍手叫好。

北京的秋天虽说秋高气爽，但在日照下仍然感觉很热。我们一家来到了码头，对选择哪只船有点犹豫。我问女儿："你说脚踏船、电瓶船，还有小木船，我们划哪个好呢？"

"小孩子最好还是划脚踏船吧，既省劲，又好玩儿，还安全。"还是管理员先开了口。我心想，准是哪个贵推荐哪个。

"还是让孩子自己选择吧。"

女儿看看湖面上嬉戏的人们划动的各种船只，指了指说："我就要那种可以自己划的。"

真要上船了，丈夫用异样的目光看着我："你会划吗？"

"把那个'吗'字去掉好不好？这划船和骑自行车一样，别看多少年不划了，学会了就不会忘。"

船选好后我先上去了，船有点摇摆不定，我小心翼翼地把女儿接上船，老爸随后也跟了上来。

"大家坐好啦，我要开船啦！"我们的小船慢慢地离开了码头。我坐在船中央，他俩坐在船尾。我两手摇动着双桨向前划去，随心所欲，得心应手。

不远的湖面一条黑色的鱼一跃而起，女儿惊喜地发现："妈妈看呀，水里还有好多鱼在游呢！"

看着我划船的样子女儿也想试试："妈妈我也想划一下。"

"好啊，不过你的手有点儿小。不要紧，妈妈帮你一起划。"女儿和我一起坐在了船中央。

"刚开始划，桨可能有点儿不听话，你一旦掌握它，它就会听你的了。"

我手把着手对她说："两手要协调用力，船桨要垂直入水。你看如果咱俩双桨往后划水，船就往前走。"女儿学着我的样子双手用力地向后摇着。

过了一会儿我说："咱们试试，如果双桨往前划水会怎样呢？"

"那船肯定就往后走吧。"

"咱们试试。咦，小船走得有点儿慢，噢，是老爸压着船尾呢。"

"为什么要坐在船尾？"

"船头尖尖的是为了减轻水的阻力，这样小船才能跑得快。"

"妈妈您别扶着我，让我自己划吧。"

"她学得还挺快。"坐在船尾的老爸说。

"当然了，我身上有会划船的基因。"女儿一听更来了兴致，她觉得坐着使不上劲儿，索性站了起来又划了一会儿。

"你再试试，如果光右手使劲儿会怎样？"

女儿放下一只桨划了几下："船就从前面往左拐了。"

"没错。那同样道理，左手用力呢？"

"那肯定往右走啊。"

"你歇会儿让我试试，如果两只手向不同的方向划，看看船会是什么样？"

"咦？船怎么直打转转呀？"

"我来试试！"

"这更费劲儿了。"

在一旁的老爸说："这是因为桨给水一个作用力，水就给桨一个反作用力，是作用力和反作用力的结果。这可是以后学到的物理知识，你现在就先体验到了。"

女儿悟性高，很快各种划法都学会了。她摇着双桨，越摇越熟练，越划越高兴，头上满是汗珠。她说左，小船就往左，她说右，小船就驶向右。

收船的时间到了，我们该返航了。女儿用刚学的技能用力地向码头驶去。

远处岸上有两个外国人，忽然其中一个大声地冲着我们喊："very strong？"由于顺风听得很清楚。

女儿问："他们在喊什么呀？"

"他们在夸你真勇敢！"只见两个外国人都举着伸出大拇指的双手。

我连忙用双手拢在嘴旁回应了一句，并让女儿停下来向他们招招手，表示谢意。

上了岸，我俩伸出双手，手心朝天，女儿的双手磨出了水疱。我问她："好玩儿吗？赶明儿你再长大点儿，咱们租两条船，妈妈跟你比试一下怎么样？"

可还没等比试呢，人家早不带我玩了。

孩子的评语：

在玩中对知识的体验更深了，不管船儿左摇右摆，总走之字，还是调整过来，基本走直线……我在玩儿着、学着，在体验过程中享受着快乐。

28. 让孩子再玩几分钟吧

朋友出差前，麻烦我帮忙带两天他 10 岁的儿子，特地嘱咐我别忘了周日带他上兴趣班。

周日这天，老天开恩，空气质量一级，小公园树郁花红，我坐在了一位和我孩子年龄相当的年轻妈妈旁边。

"迪迪，还有 10 分钟咱们就该学画画去了。"年轻妈妈向着一个正在荡秋千的小男孩提醒着。

"那是你的儿子吧，他很可爱。"我笑着夸奖道。

"还可爱呢，别提多不听话了。"说着又冲着孩子嚷道："还有 8 分钟……5 分钟……3 分钟……快下来吧，准备走！"年轻妈妈拉着长声一次又一次地发出命令。

小男孩央求道："再让我玩 5 分钟，妈妈，就 5 分钟。"

"我喊 1、2、3，你不下来我就走了。"年轻妈妈好像丝毫没有商量余地，站起身就准备往前走。

孩子嘴里嘟囔着，不情愿地从秋千上下来，跟着妈妈走了。

我望着被妈妈硬拽走的小男孩背影,心中很不是滋味。

"阿姨,我还能玩儿几分钟?"朋友的孩子见到小伙伴走了, 马上想到了自己。

"还有半个小时。"我看了看表说。

孩子更加劲儿地荡起来,像是在用秋千的速度和时间赛跑。

"抓紧时间把能玩儿的都玩儿一遍吧,好吗?"我好心地劝说。

"我就想玩儿秋千,就像在天空中飞一样,感觉真好!"他大声地对我说着。

时间还是无情地溜走了。

"怎么样,小伙子,我们可以走了吗?"我问。

"我不,不去了行吗?阿姨。"他低着头,企盼地、小声地、试探地问我。

"嗯,不想去,说说不想去的理由好吗?"我说。

"其实我的作文在我们班挺好的,老是前几名,我妈非又给我报了这个班。"孩子一脸的无奈。

"那你觉得上作文班和在这里玩儿,哪个对你的写作更重要?"我又问。

"当然玩了!我每天都是学习,没有什么可写的,我妈给我报了整整10个兴趣班,我都快累死了。"孩子愤怒地说。

"那你能回答我,今天出来玩写出来的作文和在作文班写出来的作文哪篇能更写得好,我再作决定。"我将了他一军。

"那还用说,玩得开心写得才更好呗。求求您,答应我吧。"他边说边作揖,一副的可怜相。

"好!就这么的!"我微笑着答应了。

"您同意我不去了?那可千万千万别和我妈说!"他再三嘱咐说。

"当然了,一言为定!"我俩击掌敲定。

孩子露出了笑容,眼睛有了光芒,浑身充满了激情。我们又换了一个更好玩的地方,他开心,我也开心。

天不早了,我们也玩够了,该回家了,孩子的妈妈可能已在等候了。我答应要送孩子几本书,正找着,翻出一张我女儿画的画。

"你看这是姐姐画的画。"我指着一张她用铅笔画的时髦女人像说。

孩子回过头瞟了一眼,"呕"的一声做出要呕吐的样子。

"怎么回事?"我以为他不舒服了,忙问。

他妈笑着对我说:"你不知道,我们这孩子说了,他这辈子不结婚了。"

"为什么?"我好奇地问。

"他说他可不想让他的孩子生下来再这么痛苦地学习了。还说让我们王家断子绝孙呢,所以一提女人他就恶心。"他妈妈依然笑着说着。

一个10岁的孩子竟说出这样的话,我的心在颤抖;一个星期只有7天却要上10个兴趣班,我真为他不平。我们总抱怨工作压力怎么这么大,和孩子们相比真可谓小巫见大巫了。

孩子确实活得很累——他们要承受种种外部的压力,更要面对自己内心的困惑。在痛苦的挣扎中,有人向他们投以理解的目光,他们会感到一种生命的暖意。哪怕是短暂的一瞥,足以使他们激动不已。心理学家告诉我们,对大多数儿童来说,智力素质的某一方面优势,总是在身心获得全面发展过程中逐步显露出来的。

陈鹤琴把儿童心理概括为"三好四喜欢":小孩子好游戏,小孩子好模仿,小孩子好奇;小孩子喜欢成功,小孩子喜欢野外生活,小孩子喜欢合群,小孩子喜欢称赞。

难道孩子的生命除了"学习",再也别无他用了? 生活中,我们总会面临孰重孰轻的问题,对于孩子来说,什么是更重要的? 我宁愿把时间献给对孩子成长有用的地方,让孩子更像个孩子。

孩子的评语:

为什么非要让一个几岁或十几岁小孩千变万化的头脑变得与大人想法一致呢?每个人都有自己想要的东西,家长总是将自己认为最好的东西强加给我们,而忘了问问我们需要什么。如果让我们只为一件事来到这个世界,没有谁会愿意。玩是我们的天性,也是我们的权利,谁在剥夺我们的权利?恰恰是口口声声说"都是为我们好"的父母们。

■ 29. 文明是表现给孩子看的

一天天色已晚，下着小雨。为了不在雨中等候多时，我和女儿决定快跑几步，赶上停在站上的巴士。"谢谢，谢谢"，上车后，我上气不接下气地向等候我们的司机道了声感谢。

我们找了一个有利的位置站好，旁边坐在座位上的一位年轻女子正和自己的同伴大声地说笑着。过了一会儿，年轻女子从挎包里拿出瓜子和一个已经装了一些壳的塑料袋，边嗑边继续着他们的话题。尽管她已经很注意不把瓜子皮弄到地上，但还是有瓜子皮飘落到地上。

售票员发话了："那位女同志，别在车上吃东西了，你看瓜子皮掉了一地，请你把它捡起来。"

那位好像没听见，继续嗑着。

"听见了没有，说你呢。"

后面的同伴捅了她一下："嘿，别吃了。"

"一点儿不讲公共道德，素质真低。"

"谁素质低，你不就是个卖票的吗？我好歹还上过大学呢。"

双方谁也不让谁，过激的语言随口而出。

我不愿让女儿看到这种场面，要不是外面下着雨我恨不得带她马上跳下车，远离这被污染了的环境。

"你不捡是不是？告诉你，不捡你就别想下车，咱们到总站再说！"售票员严厉地说。

看看车上的乘客，多半面无表情。

我向女儿使了个眼色，并小声说："咱们替她捡起来吧。"

我俩蹲下来捡了起来，和她一起的那个人见状也忙弯下腰捡了起来。

"人之初，性本善。性相近，习相远。"孩子天性纯净，这不文明的行为会污染孩子的心灵。我只想赶紧结束她们的激战，采取这个举动，不为别的，只为身边的女儿。

　　每个家长都希望自己的孩子成为有气质、有风度、有教养的文明人,然而要做到这些,首先就要管住自己的嘴,不说赃话、粗话;管住自己的手,在公共场所不乱丢弃垃圾;管住自己的腿,乘车、乘电梯不争先恐后;管住自己的脚,不践踏草坪……

　　要想让孩子成为一个懂礼貌、讲文明的受人尊敬的人,不妨先从净化自己的语言和行动开始,以自己的实际行动去塑造自己、影响他人。

孩子的评语：
要想成为一个讲文明的孩子,家长的言行至关重要。

30. 不要总想着改变孩子

　　像女儿盼望了一个星期的妈妈一样,我也恨不得马上把女儿搂在怀里。老师见我来了,还没等我问候的话音落下就说:"你家闺女可真够倔的,中午午睡完小朋友都起了,我让她起床她瞪着大眼睛看着我就是不起,怎么说都不管事,谁说也没用。"

　　"唉,我怎么平时没有发现她有这个脾气呀?"我说了一句。

　　老师又说:"你得好好说说她呀,这样长大了可更不好管了。"

　　我不想探究事情的原委,更不想让老师当着孩子的面把话说得太多,说了声再见就带着女儿出了门。

　　"你喜欢这个老师吗?"

女儿摇摇头："老师只会对妈妈笑,不会和我们笑。"

"你的眼睛真够大的,连老师都注意到了,那为什么瞪着大大的眼睛不起床呀,是不是还没睡醒呀?"

女儿不说话了。

我看着女儿不开心的样子,忽然想起老师说她倔,马上想到毛驴脾气要顺毛摩挲。我捋着她的头发轻声地说:"小毛驴儿要是听了不好听的话,主人怎么让它拉磨它都不肯拉。我家宓宓也像一头小毛驴儿,喜欢顺着摸它的毛说是不是?"我边抚摸着她的头边看着女儿的表情。

后来我从女儿一篇回忆小时候的日记中才知道她"倔"的原因,她写道:

幼儿园寄宿,有些家长经常愿意接孩子回家,只有我是幼儿园的长久住户之一。有一次我发烧,老师没有让我回家,晚上我吐的时候溅在别人的拖鞋上,这位老师硬是让我穿着单薄的衣服把人家的鞋洗干净。真是一点儿关爱别人的心都没有,不配有人的躯体!

这让我想起一个故事:一天,一个男子把毛驴牵到磨房,套上它,想让它拉磨。可毛驴说什么也不走。气得男子举起皮鞭,一顿猛抽。可是,越打毛驴越不动弹。这时,男子的媳妇来到磨房,制止了丈夫的举动。她轻轻地走到毛驴的身边,用手去抚摸毛驴的身体,然后又解下腰间的围裙,给毛驴戴上眼罩。之后说了声"驾",没想到毛驴反倒乖乖地拉起磨来。看来,顺毛的抚摸,温柔的话语比粗暴的行为更加管用。小毛驴儿是这样,更何况孩子了。

大人认为让孩子干什么他就得干什么,你命令他怎么着他就应该怎么着,容不得他丝毫的解释。孩子不想学钢琴你偏要把他的手按在键盘上,孩子不想练舞蹈你硬要让她装出小天鹅的样子……你想让孩子接受你,首先你就应当做出能让人接受的姿态来,相反只能让孩子逆反。

有时你说深了不是浅了不是,孩子软硬不吃;打了骂了,孩子还是"屡教不改"。这是因为你过去的错误已经铸成,重要的是今后要有所作为,不要总想着改变孩子,还是先改变自己才是行之有效的办法。同样一句话,同样一件事,采取不同的说法,不同的处理方式,你会发现得到的结果完全不同。正如一句老话:顺情说好话,耿直讨人嫌。但也不能一味地迁就孩子的错误,要善于利用孩子的优点改正他自己的缺点。

总之,要想毛驴好好拉磨先得顺着来,否则毛驴不但不给你好好拉,反而会尥蹶子踢你。实践证明要想让"小毛驴儿"驮着大大的书包高兴地去上学,一定要把家里的"顺毛行动"进行到底。

孩子的评语:

只可惜如今的伯乐都患上了远视眼,他们更愿意看到千里马,很少顾及小毛驴的感受。

好马做不成,做头有用的驴子也不错。毛驴脾气倔,其实倔的毛病不是天生的,而是和主人后天的待遇有关。

31. 女儿教我不伤害动物

女儿放学回家,我已经在厨房忙活上了。

"今天妈妈给你做贵妃鸡,我特地从自由市场买了活鸡。"我一边说着一边麻利地做着准备工作。

"这个小碗是用来控鸡血的,这锅开水是准备烫鸡毛用的,这镊子是用来捏没有烫掉的鸡毛的……"我自言自语地念叨着,摆开了架势。

女儿似乎有些害怕,她的身子躲在门外,只一只眼能看到我。

我检查好鸡腿是否捆好,拎起两只翅膀,按住鸡的脖子,只听"嘎"的一声惨叫,鸡血流入了碗中……

女儿见鸡没了动静,小心翼翼地往前走了几步,栽倒的鸡又抽搐了几下。

"没什么可怕的，下次妈妈教你怎么宰。"我说着。

"不……不，妈妈，鸡疼吗？"女儿眼里有些泪花，声音有些颤抖。

"鸡不知道疼。"我肯定地说。

"它不知道疼为什么会叫，它一定很疼！"女儿再也忍不住哭出了声。

这一次我做的美味香酥的贵妃鸡，女儿说什么也不肯吃。

晚上又到了讲故事的时间。一个故事讲完了女儿突然问："妈妈，您不是说动物是人类的朋友吗？"

"没错，是人类的朋友。"我说。

"那你今天为什么把鸡杀死了？害得我难过半天。"我无言以对。马上又说，"那些野生动物和国家保护起来的动物不能宰杀，像供人们平常吃的猪、牛、羊、鸡、鸭、鱼这些都可以吃。"

又过了些天，我从市场上买了条活鱼，刮鳞的时候不小心手被坚硬的鳍划了一个口子，鲜血直往外淌。女儿急忙从自己的小药箱拿出创可贴，帮我包扎伤口。

"妈妈，您疼吗？"女儿心疼地问。

嗯，这话怎么这么熟悉，这让我想起了几天前杀鸡后女儿问的"妈妈，鸡疼吗？"我不知如何作答，小小的伤痛和一条生命的结束怎么去作比较？顿时，我的心在痛。哪一只动物没有自己的父母，哪一个父母不期待着自己的孩子不受到伤害？这让我想起我们小时候都玩过的一个游戏叫做"老鹰捉小鸡"，在我眼前突然生出这样一个画面，鸡妈妈用力保护的孩子面前出现的不是老鹰，而是我们——人。

人类的爱心难道是建立在动物朋友凄惨哀嚎然后享受其美味基础上的吗？我们不只杀其身，食其肉，而且当着孩子面还面不改色心不跳。想一想我们的动物朋友被我们用尖刀刺喉、被利刃剖腹、用烫水活煮、断头断足断翅……我决定再也不为了满足自己的口腹之欲杀生害命。吃一些对自己好又不伤害别人的食物，用实际行动告诉女儿我不再伤害动物了。从此在众多美味佳肴中我变得挑三拣四了，在请客吃饭时我的筷子变得小心翼翼了。

一次同学聚会，饭桌上端上几盘大菜，同学见我不下筷，有人问我："怎么不吃呀？"一位同学边说边夹了一个鸡腿要往我的盘里放。

我赶紧拦了下来说："我只想吃点青菜什么的。"

"上次聚会没觉得你有什么忌口的呀，是不是去了趟普陀山信佛了？"

"没那么复杂，桌上那么多菜，吃什么不都一样填饱肚子，我的原则很简单：在保护自己的同时尽量不伤害别人。"

"动物也不是人，大不了是个经济动物，别假装大慈大悲的了。"

"没什么，是女儿让我明白了一个道理，我只是不想与人类的朋友为敌罢了。"我解释道。

"不吃肉会营养不良的。"

"现在你看到哪个病人是因为营养不良去看病的？不都是营养过剩才导致了疾病吗？吃出病再去看病，不如简单一点儿。"我接着问我这个同学，"我不敢说你有三高，你至少也占两高。"

"是啊，我血压高、血脂高，你怎么知道的？"同学不解地问。

……

孩子的评语：

你怎么就知道动物们没有在为人类编造故事，现在的各种灾害还不足以说明问题吗？

如果大人们啃着鸡腿嚼着鸭脖大讲什么"动物是我们的朋友，我们要爱护动物……"这种说教是不是应该先指向自己才对。

▌32. 女儿喜欢这样的老师

　　女儿该上小学了。离家同等距离有两所小学，一所是随着小区建成的花园式新建小学，一所是有名人题字在附近较有名气的老学校。大人们知道比起现代化的建筑，学校的内容应该是首选。但我还是决定在双休日带上女儿在这两所学校门前走走，把选择权交给女儿。

　　"这两所学校你更喜欢哪一个？"我问。

　　"我要去漂亮的学校。"女儿指着新建小学第一时间就决定下来了。

　　这不出我所料，小姑娘嘛，喜欢漂亮。

　　这六年小学是由她来上，我决定依了她。

　　女儿早早就盼望着上学，时常模仿着小学生背起双肩背包，指着自己将要去的地方："走，到我们学校那边玩儿吧。"

　　这天，女儿真的上学了。

　　我想年轻的学校一定是年轻的教师居多，而年轻的老师可能与孩子更没有距离感，女儿到底会遇到一个什么样的班主任？

　　"你感觉你们的老师怎么样？她叫什么名字？"

　　"我们班的胡老师可漂亮了！对我们可好了。一会儿，我给你画一张她的像。"

　　听了这话，我算是定了心，别人劝我的什么好学校坏学校、新学校老学校，我觉得能让孩子喜欢的好老师才是最好的。小胡老师不光人长得漂亮，对孩子的爱心令孩子们难忘。后来女儿升入高年级听说要换老师，还为此哭了一鼻子呢。

　　于老师是教美术课的，细细白嫩的脸上长着一对笑眼。从小喜欢画画的女儿一上小学，看着手里课表中她心爱的美术课，再看看这位笑容可掬的老师，整个星期都盼望着这堂课的到来。

　　一天，老师把女儿叫到办公室。原来老师看女儿画的画很有自己的想法，而且画得也不错，就让她负责收同学们的作业，这可是她愿意干的小活儿。在老师办公室不仅可以看到别的同学的画，更可以有机会和老师单独聊天。她很快发现，到于老师办公室，她不用考虑说话的顺序，也不必在乎说话的方式，想说什么就说什么。后来她因为喜欢上于老师也就更喜欢上了这门课，直到现在两个人还相互惦念着。

我知道于老师是喜欢孩子的，不管是学习好的还是不好的。她给我讲了这样一件小事：有一个学习很差的学生，老师们都不喜欢他。这个孩子看上去也很不自信。后来于老师发现这个孩子在音乐、美术上有天赋，于是当他画得好的时候，就当着全班的同学表扬他，并发给他一张小小的奖状。没想到这个学生在即将离开小学的时候，把这么多年来老师发给他的小小奖状装订成册，拿到于老师面前深深地鞠了一个躬说："感谢您，是您这小小的纸片和您给我的鼓励让我还能看到自己存在的价值，这是您给我的最好的礼物，我会珍藏它一生。"后来这个孩子确实在美术、音乐方面表现出了超人的才华。

人之初，性本善，无论哪个孩子生下来都有着美好的一面。在他们成长过程中如果受到来自周围环境的消极影响，就有可能使他们美好的东西受到伤害。我们很少在意周围的一切会在孩子们心里留下的反应。于老师却能准确地帮助孩子了解到自己的优点，并及时地用巧妙的方法把这样的信息传递给孩子，从此决定了孩子的一生。

每个孩子都有远远超过我们想象的天赋。学习不好的孩子不一定就笨；相反，他们在某些领域会有着自己的优势，同时也是学习好的孩子所不能及的。因此，我们只能说我们还没有找到每个孩子成功的风向标，而不能断言他们是不可能成功的。

一个好的老师，应该是让孩子感受到在学校里也能遇到真正喜欢他们的人。好的老师有一个共同的特点，对待幼小的孩子他们会把身体向前探出，专注地听孩子不成句的话。再大一点儿，每个孩子在老师眼里都没有一种被排斥的感觉，他们总能够看到每个孩子的闪光点。

从幼儿园到小学，又从小学到初中、高中，女儿喜欢的老师不太多，她喜欢的，我自然也尊敬几分。从小到大，在家里出现频率最高的老师的名字，一定是孩子最喜欢的老师，不然我怎么还记得？看我还能不能叫出他们的姓氏或名字：塔院幼儿园的张老师、王老师、郑佳珍园长；塔院小学的班主任胡老师、美术课于铭老师；北医附中的班主任牛老师、徐老师、美术课张宏旺老师；人大附中的班主任朱京力老师、数学课刘老师、班主任赵秋盛老师和关心她的刘彭芝校长。这些老师你们现在仍然工作在教育战线上吧？你们也许不知道你们对孩子的成长起到了多么大的作用，孩子们太需要像你们这样尊重他们的好老师了。每当升学或升班的时候，女儿都会感慨一番：真希望这个老师跟着我们一起升班，能和这样好的老师永远在一起多好啊！

孩子的评语：

提早让我们认识到自己的才能所在，也只有这样我们才能获得对自己的信心。老师的一个微笑、一个眼神、一个奖励对我们来说是那么的刻骨铭心，然而对老师来讲可以是那么的随意。我想，我要是老师一定会把这些美好撒向每个需要的孩子。

33. 孩子为何远离快乐

我经常在小公园散步，看到三五成群下班很晚的外来打工妹，总是面带笑容唱着歌，有说有笑地向着她们的居住地——可能是无窗的地下室，也可能是几人合住的潮湿的小房走去。一天的劳累和不高的收入并没有给她们带来沉重，她们确实是快活的。我也注意到北京的孩子很少光顾这里，即使偶尔见过,也很少看见他们是高兴的,他们不是噘着嘴跟着父母,就是脸上表现出的不该属于他们这个年龄的沉重。

放假了,一天我问女儿:"你的同学为什么不找你玩儿来了?"

"人家都忙着呢!"正说着,门铃响了,女儿跑去开门。

"嘿,你不是今天有课吗?怎么来了?"

"我今天真的不想去了,暑假没人给放假,今儿就自己给自己放了。"

"那你妈知道了怎么办?"

"她前脚走,我后脚就溜了,我只好这么对付她了,反正奶奶在家,知道我没在家,肯定是学习去了。"

我接过来说:"你没跟妈妈说说,我很累需要休息休息啦。"

"我这次数学考了93分,已经够好了,由宓是最高分97分。我妈说离100分还有距离,结果还没等放假,几个班就等着我了。可是我无论如何也达不到她的要求呀。"

"看来你很不开心。"

"开心?作业本来就不少了,她又强塞一些,还要上补习班,玩的时间还是没有,真没意思!您能帮我说说我妈吗?"我能说什么?我知道,试图让家长们退后一步很难,没人愿意从这场战役中退下来的。

"那你怎么样才能觉得快活点儿?"

她说快活儿就是能和外婆在一起,最痛苦就是和她妈在一起。为什么呢?因为外婆听她的,而不管对错她一切都要服从她妈的。原来,孩子的要求并不高,要让孩子快乐也并不难,就是给他们一些自由,让他们能到他们想去的地方,能做他们想做的事情,不需要花钱,如愿以偿的感觉就能得到。

生活中,快乐不会随时出现,但却无比重要。双休日、节假日、寒暑假我都让女儿自己安排,大度地让孩子尽情选择自己的快乐方式。只要是健康向上的活动,就随她去了,我愿意她轻松而快乐地成长和生活,也愿意和她一起享受快乐。

现在的孩子什么都有,可是快乐却不如我们那个穷兮兮年代的孩子多。

一直以来，我们不断地把各种有形的、无形的东西强加在孩子身上，是想让他们更富有，更强大，以为这样孩子会离快乐的心境更近一些。然而结果却并非如此。悲哀之处在于，孩子对快乐的感觉变得迟钝，甚至根本感受不到快乐。许多家长心中，孩子的生活似乎只围绕着一个目标——学习、考试。为了让孩子得高分，不惜牺牲他们童年的快乐。

孩子没了笑脸，是谁使他们本该绽放的笑脸变得郁郁寡欢？是谁让一个无话不说的孩子变得有话不说了？现在更多的机构开始关注孩子的心理疾病，可又有谁能把本来心理健康的孩子获得快乐当回事呢？

孩子的评语：

我们这一代从小玩着最高级的玩具，穿着光鲜的名牌，吃着山珍海味，怎么还不知足？为什么还那么不快乐？问题就出在我们的需求和父母的给与并不兼容。如果选择是由自己定的，当然会快乐无比，但如果是别人强加给的，那还用说吗？

34. 做一个"听话"的家长

希腊哲人戴奥真尼斯说过："上天给我们两个耳朵、一个嘴巴的意思，就是要我们多听少说。"现在很多父母都抱怨自己的孩子什么话都不愿和自己说，父母说什么孩子也不听，可我们有没有问过自己，"你认真听孩子的话了吗？"

一次我乘坐公交车，坐在我身边的是一个可爱的小女孩儿和她的父亲。

女孩儿兴高采烈地对爸爸说:“爸爸爸爸,我昨天做了一个梦,梦见我上台唱歌了!”

“别瞎说,哪有梦里唱歌的。”爸爸的一句话顿时使孩子再也没有往下说了。

看着那女孩儿不开心的样子,我想,这个爸爸一句不经意的否定,也许孩子从此不再会有梦想,即使有梦想她也知道是不可能的。

我看了看可怜的孩子,她原本闪光的眼睛瞬间变得猜疑和不信任了。我微笑地看了看她,她的目光有些敌意。

“谁说梦里没有唱歌的?好多大音乐家的灵感都是随着梦出现的,我有时也做梦唱歌,可憋在嗓子里就是唱不出来。你呢?你唱的什么歌?”我指着自己的嗓子还是笑着和女孩儿搭了腔。

小女孩儿觉得自己有听众了,原本不高兴的小脸又露出了笑容:“就是昨天老师教我们的一首歌。”

我和女孩儿聊得可开心了,不知不觉他们快下车了。虽然旅途很短,但我使孩子变得快活了,她多少有点儿依依不舍。

看看那个父亲,好像我有点多管闲事似的,满脸不高不兴,恶狠狠地催女孩儿下车:“快点儿,要不你就甭下了!”好像他满脸的“旧社会”非要传递给他的孩子。

车开走了,我看到小女孩儿又噘起了小嘴不情愿地跟着走着。

看着女孩儿远去,我默默地、毫不客气地告诫这样的爸爸:多好的孩子!孩子美好的愿景也许就这样白白断送在你的手中,将来孩子的一切过错都将归结于你。

好多孩子是不幸的,原因就是这样的父母不可能给他们以最好的方式度过自己的童年,使得孩子的眼中不知道世界上还有许许多多美好的东西。

其实我给与小女孩儿的只是一只会听的耳朵,让她把自己美好的东西说出来。

倾听是沟通的基础,我女儿小的时候只要她向我提出问题,我都会马上放下手中的事情,蹲下来或弯下腰和她的目光平视,认真地听她讲。这样做她会觉得我非常尊重她并重视她的问题。所以，父母只有在身体语言上给孩子以尊重，让她感觉是在平等的气氛下和你交流，她才会向你吐露心声。

孩子大了，有时说话变得隐蔽了。做父母的就要会"听话听声，锣鼓听音"。不光会用耳去听内容，更应用心去"听"感受。

女儿高中考上人大附中，进校前要进行一次考试，决定能否分入实验班。女儿由于一个假期都在做自己想做的事情，考试回来有点蔫。初中一直拔尖的她如果上不了实验班心里一定不爽，我让她说说自己的感受。

"好多题我都没做过，肯定上不了实验班。"女儿有些沮丧。

我对她说："我认为实验班和普通班只是一个叫法，不要把它看得多重要，别人好多都是奥校、华校出来的，你任何课外班都没上过，能考上人大附中已经很棒了。妈妈相信你的综合实力不比任何人差。"

我给女儿卸了包袱，轻装上阵，一年中她做了许多学习以外的事情，各方面能力有很大的提升。

女儿凭借自己的实力和出色的表现，在升入高二时与仅有的几名学生一起被调到了实验班。

后来我对她说："当初妈妈说你行你就行吧。"女儿会意地一笑。

用心倾听也是一种爱的表现，倾听代表我们耐心、开放与想要了解孩子的诚意。在孩子面前我们不要太善于表达自我，而要倾听孩子的话语。如果我不是心对心地感受女儿的所思，或者一味地让她赶上其他人，相信其结果一定是事与愿违的。

伏尔泰曾经说过："通往内心深处的路是耳朵。"管理大师杜拉克也说过："沟通就是倾听别人没有说出来的话。"只要父母心耳并用站在孩子的角度多考虑孩子的感受，努力提高自己的"听力"，用心地倾听孩子的呼声，还怕孩子有什么不和你说呢？

孩子的评语：
的确，父母一双聆听的耳朵远比一张爱唠叨的嘴巴更受我们欢迎。

如果家长总是抱着"改变我们"而不是"了解我们"的心态,恐怕难写好"沟通"二字。

■ 35. 懒妈妈带出勤孩子

有个说法是:勤妈妈带出懒孩子。我可能属于相反的那一种。

教育家卡尔·威特曾说过:"替孩子做太多的事,会使孩子失去实践和锻炼的机会。这是显而易见的。不仅如此,更严重的是过分地为孩子做事,实际上等于告诉孩子他什么也不会做,是个低能儿,他必须依赖父母,否则就不能生活。这种环境中长大的孩子,一旦走向社会便无所适从,会到处寻找帮助,然而家庭之外是找不到父母式的照顾的,独立意识更无从谈起,这实际上是害了他们。"

女儿刚有独立意识的时候我就告诉她,凡是能自己做的事情就自己做,实在完成不了的再求助别人,别人帮你做完事情还要知道感谢。

一次朋友到我家做客,我们聊得火热,朋友说:"你看她要干什么?"只见女儿用力地推着一个小桌子,原来她是要拿柜子顶上的玩具。朋友忙上前去帮忙。

"我自己,我自己。"女儿还说不好一个完整句子,急忙抱住小桌子。

我说:"别管,她自己会干。"

"你也不怕孩子磕着碰着。"朋友有些责怪的口气。

"没事儿,她的行动都在我的视野范围之内,只要没危险就让她自己去做。"

我看她摆好了桌子，犹豫了半天不敢上去，请求地对我说："妈妈能帮帮我吗？"

我扶好桌子，她爬了上去，自己拿到了心爱的玩具，可高兴了。下来后还没忘记说一句"谢谢妈妈"。

朋友的孩子比女儿大，她抱怨道："我那儿子一天不是妈给我拿这个就是妈给我干那个，简直都给我支晕了。"我笑着说："那是你愿意。"

从小我就这样告诫女儿：大人给你做这件事不是应该给你做，而是在帮你做这件事，做完事情后还要感谢别人的帮助。因此孩子从小就养成了在做这件事之前先想想通过自己的努力能不能完成的习惯。

别人都羡慕我，你怎么那么省心，其实省不省心，看你给自己定位在哪里。如果你选择当一个勤快妈妈，那么好了，孩子自己可以做的一切事务你就全包了，收拾书包、检查作业、大了还得接送……哪天你忘记给带练习本，还得埋怨你。你替他做得越多，孩子做得就越少，孩子做得越少，对自己就越没自信，到头来他就什么也不想做了。最主要的是将来走向社会当孩子看到别人独立自主能力很强，会感到自我形象低下时，反过来会责怪你为什么当初干涉太多。孩子越早摆脱家里的束缚，他们就会越早的成熟。现代家庭首先要将孩子培养成一个能独立生存的人，再努力将他们培养成一个对社会有用的人。

当懒妈妈自然就轻松多了。你只需要做到"放手不放眼"就行了。放手就是把可能的危险排除外，孩子求助时再给予帮助。不放眼就是不必主动帮助她，只需留意，暗中观察即可。只要给孩子足够的空间、应有的资源，至于怎么做，由他们自己来决定。孩子在一个充满活力、创造力和快乐积极的环境里，他们的能量才能够得到最大的发挥。

孩子能做的事情不管做好做赖都让其大胆地去尝试，他们才会自己积累经验，逐步完善。母亲把孩子带到这个世界，重要的是把孩子培养成有用的人。如果我们束缚他们的手脚，不给孩子机会去做，他们永远不可能长大。还要让孩子知道，不要总是要求别人给你什么，要想着你能为别人做些什么。因为孩子最终是要面对社会的，而不可能总停留在你这个独生子女的家庭。

不放眼就是掌握住孩子教育的大方向。孩子成长过程中，不同时期、不同阶段都会有不同的变化，这要求父母根据孩子不同的需求给出一些指导性的意见。家长当好舵手，只要船不偏离航道，就鼓励她充满信心、大胆尝试，让她有勇气去做好一切她想做的事情。

女儿长这么大，我没给她收拾过书包，没给她检查过作业，没给她包过书皮，没帮她背过书包，上小学后没接送过她……直到上大学前，一切事宜都是她自己办理的。够懒的吧，没错，为了孩子的成长我宁愿懒下去。

你只有看似"冷酷无情"，才可能把孩子"逼上"自立、自强之路。孩子很多坏习惯不是一开始就有的，而是被家长惯出来的。我们不要把劳动当做是自己的一种责任，也许孩子还能在劳动中感到一种乐趣、一种放松。哪些事情是他可以做的？哪些事情是要求他独立可以完成的？家长对孩子要有底线。我们的态度应该是帮助而不是包办，给予注意而不是替代，只有这样，他们才能成为肩负生活重任的独立的人。否则，他们就会只习惯于让别人给他们做什么，而不懂得自己应该给别人做点什么。

孩子的评语：

其实我们不需要父母在生活上像保姆似的照顾，我们真正需要的是用你们丰富的生活阅历去引领我们在大千世界中搏击、奋斗、成长。

我庆幸我遇到这样一个妈妈：在从小到大的每一个寒假或暑假，她没逼着让我像其他孩子一样学着自己并不喜欢的东西，上着学校翻版的课程。她只是让我（根据我的年龄特征）自主选择，学会一项基本生存的本领，哪怕是一点点生活技能的掌握，她都会为我感到自豪和骄傲。把肯尼迪总统对人民说的话改编一下，就是"不要问妈妈能为我做什么，而是你能为妈妈做什么。"

36. 家是孩子坏情绪的回收站

孩子每天都有意无意地受着情绪的影响，有时它能使孩子精神抖擞、思维敏捷、干劲十足，有时它又可以让孩子情绪低落、思想短路、萎靡不振。儿童教育问题研究专家孙云晓认为，沉重的学习压力、不尽如人意的师生关系、尚未改革到位的教育教学方法等，是引起学生诸多不满的众所周知的原因。孩子们通过童谣的形式来发泄自己的不满，从心理学角度看，是种自我防御机制，能借此使紧张的心理得到放松。唱这类童谣的孩子大多都有一个较为平和的心境。

这几天看女儿有些沉闷，我没太在意，无意间翻抽屉找东西，看见女儿的大队干部符号在抽屉的角落，一想最近是没见她戴了，莫非……

尽管我不在乎她戴几道杠，但我知道女儿还是很在意的。我没有直接问女儿怎么回事儿，也没有去问老师为什么，而是问了问其他家长。一位家长说："大人不有跑官买官的吗，这你还不明白。"另一位家长说："我知道那孩子的成绩和我儿子差不多，属于中等偏下，怎么能让他当大队学习委员呢？""嗨，人家他妈净请老师，还有什么的你知道吗？"一个在家长会上时不时被点名的家长说。

我明白了。

女儿放学回来还是一副不开心的样子。

我一边做饭一边唱着"新版本的上学歌"：

太阳当空照，
骷髅对我笑。
小鸟说，早早早，
你为什么背上炸药包？
我去炸学校，

老师不知道。

一拉弦，

赶快跑，

轰隆一声，

学校炸没了。

"哈哈，这新版的上学歌改得真好玩。"

"你怎么会唱这个歌儿？"女儿看着我的半疯儿样有点儿弄不明白。

"我在网上看到这个歌被改编成这样，真过瘾！"我解气地说。

"就是，我们现在的×老师就是讨厌！"女儿像是找到了出气孔发泄着不满。

"你们学校也有讨厌的老师呀，我小的时候一个老师当着同学们的面给我难堪，后来我一直挺恨他的。其实，老师不一定全好，老师处理的事也不一定全对是吧。有什么不愉快跟妈妈说出来，咱们看看你们那个老师讨厌在哪儿，分析分析看是谁的错。很早俄罗斯就有这样一句名言：一个欢乐两个人分享，欢乐就变成两个；一个痛苦两个人分担，痛苦就变成了半个。跟妈妈说出来你心里就会好一点儿。"我慢慢引着女儿道出心中的不快。

女儿把莫名其妙就不让她当大队学习委员的事说出来，正像那些家长说得一样。我问："这是你的错吗？"

"我不知道我哪儿错了？"女儿的眼神好像要寻求帮助。

"你根本就没有错，有些人他在这个位置上，别人不得不听命于他，一旦他不在这个位置上了，就什么都不是了。有的人可以什么都不是，但在别人心目中仍然有着分量。妈妈知道你一定很伤心，在这种老师面前，咱不当这个三道杠对你的威信也不会有丝毫影响。"

女儿点了点头（后来女儿不做三道杠，来问问题的电话仍然不断，她仍然像以往一样高兴地回答同学的问题，尽管我知道这样会影响她的学习，但我一直很支持她的行动）。

我觉得光说还解决不了女儿心中的怨气，又想了一招："这样，咱俩吃完饭，给这个老师画像好不好？"女儿没等吃饭，马上拿来了笔和纸。"你先画个×老师大轮廓，让我画她那眼镜后边的那对小眼睛行吗？"我说着，比划着，帮她画着。

"她的脸有点儿黑，牙有点儿黄。"女儿画着画着脸上已经露出这几天来少有的笑容。

"她爱穿什么衣服呀？"我问。

"告诉你，有一天她一抬胳膊往黑板上写字，露出了花裤衩。"女儿话音还没落，我们俩已经捧腹笑得眼泪都出来了。

画完了，然后就……林肯就善用这种方法，在他愤怒的时候写一封信，尽情地表达自己的愤怒和痛恨，写完了再把信撕掉。

不必人人都赞同这样的做法，那是我实在找不到更有效、更快捷的办法了，我不会让自己对女儿遇到的不愉快视而不见，我找不到能在短时间内更能让女儿马上消除坏情绪奏效的办法，我能够做到的就是这时候必须和孩子站在同一个战壕里，站在她的立场帮助她排解不良情绪带来的负面影响。对教育者来说，尤其是对真正为孩子们考虑的教育者来说，每天花一点心思去关照一下孩子的心灵而不是学习，也许更容易发现这些才是对孩子真正有用的东西。我们大人遇到压力或不顺心的事，总会呼朋引伴找到合适的方式发泄，可为什么要让孩子默默地承受呢？他们也应该有他们的宣泄渠道。家，不止是孩子最安全最可靠的港湾，也不止是心灵的避难所，而应该是一个可以让孩子释放自己并产生勇气的地方。孩子应有的权利在这个避风港中获得心理上的调节，这就不得不让我们家长在其中承担"解压"而不是"加压"的角色。

"真不想上学了。"女儿一进家门还没扔下书包就不高兴地嚷着。

"我也真不想上班了。"我通常是随着她的腔调没等她话音落下呼应着。

"一定是又遇到什么麻烦和不愉快的事了，说出来妈妈愿意为你分担忧愁。正好今天我收拾房间，把不愉快的事和咱家那堆儿破烂统统清理出去。"

我通常做出与孩子"同频共振"的表情，也就是说，与孩子的情感相吻合。当孩子非常痛苦，我也随着孩子的心情调整自己的表情；如果孩子很高兴，不管一天的劳累我也要流露出愉快的神情。为了给孩子减压，有时我不得不为孩子的呼声做出反应,晚上睡觉前,也不得不和女儿编造一些砸烂学校、铲平教室、开除老师的一些故事,你一句我一句,越编越起劲儿,越说越开心,逗得女儿嘎嘎大笑,孩子的心理压力得到了充分的释放。因为我只希望积极的想法在女儿脑海中停留,我有责任为她排忧解难。我们一起构建着孩子天天吵着要去,放学不愿回来的学校。

谁都希望孩子整天乐观、坚强、勇敢、快乐,然而悲观、哀怨、愤怒、沮丧这些负面的东西也是人性的一部分,总得让这些情绪有个出口。我觉得,如果没有消极面可供比照,那么,积极面就没有太多意义。如果我听到孩子回来说"妈妈我今天不愉快"比"妈妈我今天考了100分"更令我着迷,这是因为孩子相信你有能力帮助她处理她的不快。

每当女儿出现坏情绪时,最明智的做法别抑制它,任其发泄几分钟。听她倾诉,为她排解,我们只当个好的听众就行了,慢慢地,就会觉得尘嚣远去,心静如水。或让孩子写出来、画出来,我们给他们准备出宣泄工具就够了,这时你会发现孩子的不良情绪早已云消雾散了。

我们之所以不倾听孩子的话是因为我们没有平等地看待他们,我们之所以不愿体味孩子的感受是因为我们没有从心底尊重他们。我希望我的女儿无论在外面遇到多么不愉快的事,回到家也愿她变得快乐起来。其实大家谁都清楚,无论怎样,第二天还得回到现实,该上学还得上学,该上班还得给人家上班去。

孩子的评语:

如果我们在外面受了委屈,回家后父母再来说我们的不是,这只会造成我们与父母的疏远。我们遇到不顺心或不满情绪需要发泄时,首先想到的是和自己最亲近的人倾诉,我们需要得到父母的理解,因为只有父母最了解自己的孩子,你们会在我们遇到暂时的思想塞车时比其他任何人给予的指导更符合实际情况。

▌37. 不要轻易地举起你的手

一次培训课上，老师问："请问在座的哪些人有孩子？"下面有一半学员举起手。

"你们当中有哪些人打过自己的孩子，包括用其他方式的。"又有很多人举起了手。

"为什么打孩子？"老师一一让大家阐述了各自的理由。

有的说"不听我的我就打他"；有的说"一天工作回来看见他不好好学习心就烦"；有的说"棒打出孝子呀"；还有的说"恨铁不成钢"……

接下来老师又问："我想问一下有没有哪个父母没有打过孩子？"我举起了手。还有一位家长举起了手说："我不打，我让我老公打。这不算吧。"全场的人都笑了。

"你为什么不打孩子？"老师似乎带着怀疑的目光问我。我回答说："有个'国际不打小孩日'是在每年的4月30日，他们的口号是：请来试试，至少在今天不要打小孩，或许你会发现，今天过后的每一天都不再需要打小孩了。我不打她，是说明我还有能力通过其他办法来解决问题，我希望自己成为您最后一栏写的'好家长'吧……"后来老师说他的孩子长到十几岁他也从没有打过他。

中国人的传统意识是：打是疼、骂是爱。越是在亲人面前打骂起来越是无所顾忌。其实打孩子只证明你自己在教育孩子上是无能的，打孩子只能证明你暂时还能打得过他。做父母的总是想以一种最简单的方式试图让孩子明白一个道理，有的父母似乎已习以为常，从孩子小的时候一直斥责、打骂孩子，直到忽然有一天，孩子站起来比自己还高，你才意识到你们之间的力量对比发生了变化，这时才收兵，可已经晚了。这不光对孩子心灵的创伤无法挽回，父母在孩子心目中的威信也早已荡然无存，其结果是父母与孩子之间情感上的严重隔阂，从而导致家庭教育的彻底失败。

其实很多父母在工作岗位上下级关系都处理得很好，有的甚至还领导着千军万马都可以运筹帷幄，工作中他们可能会考虑到很多利害得失而告诫自己不要太鲁莽，人际关系很重要。但奔波劳碌、心力交瘁了一天的你，回到家对自己的家人却毫无顾忌地大发邪火，对自己最亲近的人忽视了表达。工作中如此，在生活中亦然。

如果你想让自己的孩子成为一个有教养和懂得爱的人，那么你自己就应该自省自约，在管教孩子之前，首先应该管好自己。不至于使自己慈爱的本意和不正确的做法对孩子带来伤害。我从没打过女儿，是因为我知道她虽然人小，她也应该和大人一样同样受到尊敬。解决问题的办法很多，我们为什么不采取一种让孩子可以接受的方式来解决呢。

曾有人说过：天下没有什么比孩子的心灵中产生仇恨更加可怕的事。仇恨能让一个人虐待他的父母，蔑视周围的所有人，更加会让他陷入孤立无助的境地。海淀区少年法庭尚秀云亲自审判过的未成年犯罪者中，她说问题少年往往是问题父母的产物，持械斗殴故意伤害罪的少年中家长往往是性格暴躁，爱与人争斗，动辄就打骂孩子。

再来看这样一个故事，说的是一位父亲教他5岁的儿子使用剪草机，父子俩正剪得高兴，电话铃响了，父亲进屋去接电话。这时5岁的孩子把剪草机推上了他爸爸最心爱的郁金香花圃，可怜的幼苗应声而断。孩子的父亲出来一看，脸都气青了，眼看他的拳头高高举起，这时候他的太太出来，看见满目狼藉的花园，顿时明白了怎么回事。她温柔地对丈夫说："亲爱的，我们人生最大的幸福是养育孩子，而不是在栽培郁金香啊！"听了此话丈夫消了气，一切也归于平静了。

打与不打两种截然不同的做法，产生的效应也截然不同。在孩子成长中允许孩子的过错、包容孩子的过错，实际上，在孩子有过错的同时，是在提醒父母，你采用什么样的方法引导孩子更有效；更是在考验父母，你将教会孩子怎样合理的做事方式。父母应不应该放弃自己一定要孩子完美的构想，给与孩子实实在在的建议。如果你不能接受孩子的过错，孩子也不可能顺顺当当地接受你"应该怎么怎么样"的教诲。

父母总是习惯强调"看你以后还这样做不！"却没有给孩子指出"以后怎样做才是好"。打孩子是让孩子记住"疼"，而孩子除了皮肉之苦却忘记了"疼"的原因。没有哪个父母不爱自己的孩子，也没有哪个父母不是为了孩子好才出手的，无情的数落、尖刻的谩骂、重拳下的烙印，也许你打过骂过真的没有放在心上，可在孩子的记忆中却是难以忘怀的，他并不能够真正理解你的用意，但是给他造成的伤害却是巨大的，带给他的伤痛是永久的。

我们总是习惯于对比自己软弱的生命施加暴力，因为大部分时间我们都不太明白，面对一个比自己弱小的生命时，伸出一双肯接纳的手具有多么大的意义。不打孩子需要理智，需要你有能力理解孩子的心理反应，预测打后产生的结果以及你的行为会给孩子留下什么样的后果。我不认为对付一个小孩子比应付大千世界错综复杂的事情有多难，当你找到一种最适合孩子年纪又最符合我们家长身份的和平相处的心态时，就知道应该如何举止了。

孩子的评语：

不要对我们大喊大叫和拳打脚踢，家长对我们喊叫只能削减我们对你们的尊重；同时也教会了我们喊叫；你们的大打出手只能让我们另辟蹊径，寻找属于我们的世界。父母的管教应凭借其自身的人格力量，而不是压制力量。一个和我们友好相处、勇于承认错误和一个动不动就打骂、训斥孩子的父母哪个更令自己孩子尊重，问问你的孩子就找到答案了。

■ 38. 示范公开课的思考

上小学时，有一天，女儿回家高兴地说："明天外校的老师到我们学校听示范公开课，老师让我到别的班坐，准备回答提问。"

"为什么这么做？"我不解地问。

"怕别的同学回答不好呗。"女儿诡秘地一笑。

第二天，女儿兴冲冲背着书包上学了。我的脑海里仿佛看到这样的画面：

铃……上课铃声在校园里响起。

铃声止，学生们早已坐得整整齐齐。连楼道里也显得比以往更加安静。

远处传来了皮鞋在长廊里发出的清脆回响，他们来了。

老师走进教室。外校的老师在事先准备好的后排坐下。

"现在我们开始上课。"老师和往常一样的镇静。

她的教态从容、语言精练、板书漂亮。整堂课，老师不擦一下黑板，板书上留下的都是重点。

老师开始提问了，这时同学的目光不是朝向老师，而是不约而同地直逼女儿。

女儿对答如流，老师心中暗喜。

"今天的课就讲到这里……"

铃声响。

下课。

多好的一堂示范课，老师的专业知识、教学技巧、课程计划、视听材料、演示讲解得无懈可击，学生回答不乏精彩。

然而，这堂课意义何在？

这是一堂教学课，还是一堂表演课？

这种演戏的做法会让人联想到，如果学生回答得很好，似乎学生课前都会了，那么为什么还要上这堂课？如果老师的问题学生回答不上来，就会有人质疑老师是怎么教的？

问及朋友的儿子在国外怎么读书，说是老师经常把学生分成几个小组，学生在一起又说、又动、又做地参与和讨论一些问题，让学生参与到学习的过程中，真正把学习的权利交给了学生。这种积极主动的学习方式是不是值得我们借鉴？

欧美教育认为，当老师讲得非常完整、完美、无懈可击时，就把学生探索的过程取代了，而取代了探索的过程，就无异于取消了学习能力的获得。而心理学研究也表明，恰恰是讨论、争论和辩论能够给学生这种机会，并通过它来培养学生的创造性思维和丰富的想象力。

现在的学生比以往任何时候的同龄人都见多识广，他们可以通过网络掌握科学知识、人文知识、国际知识，等等。这就要求我们更应激发他们的自主意识，发挥他们的主体作用，提高他们自我教育的能力。

孩子的评语：

我们大多是喜欢这位老师才喜欢上这门课。我上课的时候总渴望和老师交流，而不是你教我听、你问我答地把一个文件夹的知识拷贝到另一个文件夹里。我喜欢"亦师亦友"的师生关系。我觉得，好的老师不应是教得有多好多好，而应是能够把我们领入自愿学习的一种状态中。

39. 看世界，学英语，一举两得

女儿开始学习英语就是与学校同步的，尽管当时也有一些教育专家认为，孩子学外语越早越好，我还是认为对于孩子来讲，首先还是要在儿童期学好自己的母语，待母语奠定了一定的基础后再开始学外语。因为学习语言的根本目的是培养交际能力，"说"是最基本的交际方式，然而"说什么"才是更重要的。也就是说，汉语水平低的人，英语水平恐怕也高不到哪儿去。

小学三年级的女儿已经阅读了大量的文学作品，尤其对外国名著更是感兴趣。那时班上很多同学上了剑桥英语或其他各类英语班，我看女儿虽说英语成绩不差，但对英语并没有什么特别的偏好。我也问自己，如果也让她学个什么班，她肯定不愿意，我也不想这么做。如果再大点儿上语言学校或出国学，花费肯定也不小。

那阵子《侏罗纪公园》是孩子们喜欢的影片，当时女儿是个恐龙迷，还称自己长大了要当个考古学家呢。那就买个女儿感兴趣的光盘她一定喜欢。这次，我故意买了原版的盘。

"我给你买来了《侏罗纪公园》，不过，真对不起，我也没问问人家是不是翻译过来的，结果回来一看是原版的。"还没等我说完女儿就抢过光盘。

"没事儿，那我也看。"女儿边说边撕开包装，顺手把盘放进了VCD机。

"您出去吧，我自己看。"女儿已经习惯了做作业、看书、做自己想做的事儿时不被打搅，看着她端然稳坐，我关上门退了出来。

过了好一阵子，她才出来。

"太好看了！"女儿模仿着霸王龙的样子很是兴奋。

"这电影这么长啊。"

"嘿嘿，我看了两遍。"

"那讲的是英语，你能看懂吗？"

"差不多，能看懂！"女儿一个劲儿地点头。

"真了不起！我怎么觉得有点像你小时候，不认识字就能大致讲出故事的情节，那我也一点儿不怀疑尽管是外语，你也能把它搞懂。"

女儿不知是对恐龙感兴趣还是一定要把台词整明白，这部电影她反复看了不知多少遍，有时我看她手忙脚乱地看一下，暂停屏幕，忙活着往本上记着什么。一问才知道，她把不懂的台词先记下来，然后再慢慢消化。看着、听着、不停地说着，女儿似乎看出了兴趣。

接下来，她在我买盘的基础上将错就错，主动挑选原版的了。起初买回的盘还看着屏幕上的英文字幕，到后来干脆甩掉字幕愣是听，直到现在，她感觉自己用英语思维，用英语表达一点儿不比母语差。这是看电影，另外还有就是，如果一本书她看了译本觉得好看，就一定要托人从国外买回原著读才过瘾。

"功夫不负有心人"，这功夫就是看电影的功夫，女儿每周总要看上几部，就是中考前，她还是把看电影视为英语复习最好的方法。结果在海淀区中考的1.8万名考生中，她的英语得了第一，这消息还是初中英语班主任牛老师告诉她的呢。

学外语练习口语是需要有语言环境的，上了高中，女儿抓住了人大附中有很多外教的好机会，想尽办法接近他们，主动创造机会与他们面对面地沟通。也是在这同时，学校的英语剧活动开始，她完全可以照搬一台，但女儿还是萌生了自己创作的欲望，集编导演美工剪于一身，并把拍摄的DV搬上了屏幕。这一次大胆的尝试让她在英语活动中玩出了新花样。高考前，她也没有放弃在家复习的美好机会——一部电影、一杯清茶，或许就是她对自己高考前最好的奖赏。

有时我开玩笑地说："这倒不错，你玩儿了，我乐了，效果好，费用低。我能做到的就是让你把光盘拿到家，自己娱乐了，外语还学好了，真是一举两得呀。"

"哈哈，别人总以为我在国外生活过几年，地道的美式英语，这还得感谢好莱坞啊。"

"看来你学英语的过程就是看了8年电影的过程，8年了，抗战都胜利了。

你想，如果说一个外国人的普通话讲得像电影配音演员乔榛、丁建华一样，让我们听来会是什么感觉。"

"任何一个一句法语不懂的人，只要看上8年的电影光盘，也会说一口流利的法语。我没有觉得在学，我就是在玩儿，不知不觉也学了，不光学了外语，更对电影幕后的光、电、影等等拍摄手法都感兴趣。哈哈。我这辈子不做导演才是最遗憾的事啊！"

一个快乐的心态是学好任何东西的前提，不同的人学习英语的动机不同，因此学习的效果各异，更多的人是为了应试、出国，或谋份好工作。女儿学英语完全出于她的兴趣。她喜欢用英语思考，喜欢用英语写写画画，一次学校组织参加英国大使馆教育处让孩子们自己"设计我的房间"活动，她全是用英文表达自己的想法，结果获得"最佳家居创意奖"。

我们对女儿学习英语的目的是非常明确的，告诉她学习英语不为应试，不为参加比赛，不为拿奖，将来得到的好处会远远超过高分、名次、奖状的价值。我从不鼓励女儿参加社会上组织的英语比赛，那是因为奖状、证书只是大人们更热衷的东西。她只是在高中阶段参加学校组织的"全国中学生英语能力竞赛"，并连续三年获得一等奖。

孩子学习语言的天然顺序应该是先听说，后读写。很多学生都能通过语言类考试，却不能交流。因此，不要在乎孩子最初的英语成绩是多少，既然我们让孩子睁大眼睛看世界，就不要在乎风中的细小沙粒。最终她听懂了，会说了，自信了，会交流了，又能谈出内容了，你会发现，英语学习可以是一个快乐的学习过程。快乐也是可以创造的。学习英语本身没有什么固定的模式，关键是如何将英语学习变成孩子的一件乐事儿，然后让孩子再带着快乐的心情去学。女儿就长了一双发现快乐的眼睛，从自己感兴趣的电影入手，又从电影中找到了无限的乐趣。

孩子的评语：
摆脱字幕疯狂欣赏大片，与老外直接聊他们国家的文化，为英语双语报社写英文专栏，与财富世界500强CEO和外国记者侃侃而谈……在我看来，出国不是学习外语的唯一途径，找到一种最适合自己的方式才是最IN的。

　　高二时，我在没有准备也不知道如何考的情况下，参加了泰德集团举办的"新托福体验活动"，只抱着去体验玩儿一下的想法，结果拿下了个第二，要知道，第一名大我10岁，参加的人当中同时还有英语专业大四考过八级的学生呢。我又一次体验到英语带给我的快乐。

▌40. 一堂别开生面的课

　　"今天的课我把他们都震住了。"女儿边放书包边激动地说。

　　看她那副得意样，我忙问个究竟："什么课让你如此激动？"

　　"上周英语课老师布置作业：每人10分钟，用英语上讲台演讲。同学们都忙活开了，跑图书馆的、上网找资料的、做课件的。课上有人背了一篇文章，有的照着念了一个故事。您猜我怎么着？现在不是正上演《星球大战》吗？我用买来的《星球大战》里面的10个人物模型做道具，用CD配上背景音乐，跟老师借来了笔记本电脑，再加上教室里多媒体大背投、大屏幕，上演了一场《星球大战》。"女儿停顿了一会儿接着说："音乐一起，全班振奋，一片哗然，接着是一片掌声，我随着音乐的起伏用流利的英语开始演讲，用肢体语言指着大屏幕，不停地摆弄着我的小道具。我顺便瞥了旁边一眼，发现老师都惊呆了，真是太过瘾了，可惜时间太短了。"女儿仿佛又置身于那堂令她兴奋的课中。

"哇!这真是一堂融视觉、听觉加上所有人的感觉为一体最棒的课!"我也按捺不住心中的喜悦吹捧着。

"还有人睡觉吗?"我接着问。

"没有。"她两眼放着光坚定地说。

"有人不听讲吗?"我又问。

"当然没有,他们都瞪大了眼睛看,还觉得不过瘾呢。"女儿意犹未尽地说着,好像整个心被喜悦塞得满满的。

这是一堂开放性教学课,学生获得了主动参与、改变和处理以往只能被动获取信息的权利。这样可以培养他们的创造性思维和丰富的想象力。孩子们太需要通过自己思考掌握知识,他们愿意参与教学的过程,自己操作、自己动手,变"老师讲、学生听,老师演、学生看"的被动接受为积极主动地学习,对自己尝试解决老师提出的问题有着极大的兴趣。

美国孩子思维活跃,是因为他们在不断问问题中长大的。有报道,美国学者确认:科学教育最根本的任务不是使学生获得多少科学知识,而是获得良好的科学素养和创造性能力。为此,他们为孩子提供了一个如何使学生获得良好科学素养和创造性能力的环境,给了他们一个理论和实践结合的可操作平台。我们的教育似乎更注重重复而不是独立思考,然而真正的好老师不光是教知识,而是教学生获得这门知识的方法和引起他们对这门知识的兴趣。

孩子的评语:

我在想人脑之"全息"除了艺术上的通感(synaesthesia)是否也可以应用到各基础学科领域——和着音乐的高低起伏和影像里面部肌肉抽动中学英语,在曲线波折中学统计学,在真正的诗情画意里背古文……

我们希望在正确的引导下独立整合知识。

▌41. 质疑永远比答案重要

这天，女儿一进门就兴奋地大叫："我说服了老师,老师终于给我判对了！"

"哇,你居然'胆大妄为'敢给老师改错,这还了得。"我心中暗喜。

原来,女儿这次的数学考试,最后一道加分题很难,试卷发下来老师给女儿的这道题判为错误,而其他同学都拿到了15分。女儿不服气,她反复验证坚信自己此题没有错误。于是找到老师并用两种方法验证了她的解法无误,最终老师改判并夸奖了她。

接着,我突然问女儿："二加二等于几？"

"四呗,怎么问这么低幼的问题？"女儿不假思索地回答并用不解的目光看着我。

"别看这么简单的问题,但在特定的环境下,也会没了答案,给你讲一个真实的故事。"

一次,哲学家罗素前来中国讲学,台下听讲的大多是研究部门的学者。他登上讲台,首先在黑板上写了一个问题:2+2=?接着,罗素开始征求听众的答案。

会场变得异常寂静,每个人心里都暗暗琢磨:黑板上写的不可能是简单的算术题。当罗素请台前一位先生谈谈自己的答案,这位先生竟面红耳赤,吞吞吐吐地说自己还没有考虑好。

罗素见状,笑着说："二加二就等于四嘛！"

这时学者们才恍然大悟,原来这位崇尚创新的大哲学家这一饶有趣味的举动,并不是想故弄玄虚,而是幽默地告诉人们一个道理:过于崇拜权威会使人陷入迷信,会束缚人的思想,扼杀人的智慧,在权威面前连简单的事实都不敢承认,难道还敢质疑权威,开拓创新吗？

再给你讲个故事:日本的小泽征尔是世界著名的音乐指挥家。在他尚未出名时,曾去欧洲参加音乐指挥家大赛,决赛时,他被安排在最后一位出场。小泽征尔拿到评委交给的乐谱后,稍做准备,便开始全神贯注地指挥起来。

忽然,他发现乐谱中有一些不和谐的地方。起初他以为演奏错了,就让乐队停下来重新演奏,但仍觉得不和谐。

于是小泽征尔认为乐谱有问题,可是在场的作曲家和评委会的权威们一再郑重声明,乐谱是经过多次筛选而来,根本不可能有问题,是他的错觉。

面对几百名国际音乐界的权威人士,小泽征尔也对自己的判断产生了怀疑,但他经过再三考虑,坚信自己的判断是正确的。于是,他满怀信心而又不失礼貌地说:乐谱肯定错了。他的声音刚落,评委席上的评委们立即站起来,向他报以热烈的掌声,祝贺他大赛夺魁。原来这是评委们精心设计的一个圈套,以试探指挥家们在发现错误而权威又不承认的情况下,是否能坚持自己的正确判断,因为只有具备这种素质的人,才真正称得上是世界一流的音乐指挥家。而小泽征尔正是凭着自己的自信心,获得了这次世界音乐指挥家大赛的桂冠。

我赞许女儿这种主动去思考、去发现,而不是被动地接受知识的做法,并不是她要回的几分,而是她敢于质疑,因为问题永远比答案重要,没有问题的提出,任何答案都不能算答案。国外的家长和我们最大的区别就在于:当孩子放学回来了,我们通常爱问的是"今天考了多少分?"而国外的家长通常的做法是"你今天提出了多少问题?"他们会为孩子的质疑感到高兴,而我们只会为孩子好的成绩沾沾自喜。

俗话说得好,学问学问,一学二问。应试教育下的学生已习惯于被动地、无条件地接受知识,哪怕是错误的,他们不敢向教师质疑,更不敢向课本、书籍、影视作品提出质疑。在中外大学校长论坛上,耶鲁大学校长理查德·雷文指出,"太听话"成为中国学生的最大缺点,"中国的学生一般不敢对老师说不,美国学生虽然也很尊重老师,但会和老师争论"。

一位思想家说,疑而能问已得智识之半。然而,我们的学生大都停留在安静听讲而不是积极提问的状态下,他们为什么不向老师质疑呢?有报道说,主要有以下原因:一是有些学生出于爱面子的虚荣心理,即使有问题也不敢质疑，总害怕问错了会引起同学的讥笑，对质疑有后顾之忧；二是有些学生不善于质疑，他们只是虔诚而认真地接受老师传授的现成知识，不善于思索和怀疑，因而也就感到无问题和无疑问；三是不会质疑，有的学生受应试教育和学习上的功利主义的驱使，平时很少与老师探讨一些知识性、学术性的问题，而是经常询问诸如考什么、怎么考等与考试有关的非知识、非学术问题；四是有的老师不鼓励不支持学生质疑，出于狭隘的心理，有的老师怕被学生问住，面子上不好看，因而不喜欢那些"打破沙锅问到底"的学生，而喜欢不质疑的学生。有的老师甚至错误地认为，学生与老师争辩问题，是对老师权威的冒犯和不尊重，会降低自己的威信，久而久之，逐渐形成了迷信权威、迷信书本、迷信老师的思维定势，不敢对有疑问的问题提出质疑，从而限制了学生质疑和创新思维能力的发展。

心理学家认为："学起于思，思源于疑。"宋朝朱熹也说过："学贵有疑，小疑则小进，大疑则大进。"疑即问题。有报道说：缺乏训练有素的人——几乎每一家外国跨国公司都抱怨这个问题，他们认为很多中国雇员，甚至合格的大学毕业生，思想僵化，缺乏创造性，不敢向权威挑战或提出问题。因此，敢于质疑说明孩子在思考，敢于指出大人们的错误，说明孩子没有机械地读书，我们应欣然地接受并珍视他们的这种能力，而正是这种能力才是中国向创新型国家迈进所必需的。

孩子的评语：

父母愿意让我们在一切可能中接受众人的标准答案，并竭尽全力靠近这些标准答案。老师教的必对，书本印的必好，如果我们一味迷信大人们给你划定的禁区不敢越雷池半步，或将其所传授的知识视为不可逾越的顶峰而停止不前，那就永远不会有自己的思想，至多是只能记得他人的话或背得书中的文字而已。我的做法：既相信书本，又不被书本束缚，即使是敬仰的老师，也不一定全盘接受。

42. 好成绩是"睡"出来的

孩子们中间流传着这样的儿歌:"书包最重的人是我/作业最多的人是我/起得最早的、睡得最晚的/是我是我还是我……"的确,没有人不知道睡眠对孩子健康、学习的影响,但现实的情况却是,孩子们的睡眠时间越来越少了。

上初中时,有一天,女儿放学回家,一进门就冲着我说:"昨天的家长会上您都说什么了?我们老师都不高兴了。"

"哦,是这样,昨天班主任说快要期末考试了,最后嘱咐家长做好三件事:一是让孩子10点以后再睡觉;二是监督孩子抓紧复习;三是按照自己定的目标(成绩)考好。我还记了下来想回来跟你汇报呢。"

"后来您说了什么?"

"后来班主任讲完了,因为要等数学老师,还有一会儿时间,老师就让我讲讲你是怎么学习的。我也没有准备呀,灵机一动干脆就她刚说的这三点谈谈自己的看法吧。"

"怎么说的呀?"

"我说,首先老师说的让孩子10点以后再睡觉,我有点不同的看法,由悠每天9点前就睡了,我仍然还坚持这个时间让她睡觉。我说,我不知道别人,反正我自己要是困的时候,想干什么都干不下去,更何况孩子了。一天下午我到学校办事,无意间想到班上看看,当时他们正在上课,我从后门的小窗口望去,不是一个两个孩子趴着,而是一片一片倒下,老师讲着,孩子们睡着,没多少人在听课。我从后排找到女儿,她还坚持着。大家想想,孩子晚上睡不够觉,早上又要起那么早,一天紧张的学习孩子怎么能吃得消?这样长时间形成恶性循环,孩子的成绩能好吗?有时孩子总是耗得很晚才睡觉,常常不是因为时间不够用,也不是作业多得一定要很晚才能写完,而是由于他们拖拖拉拉地把时间都磨掉了。我觉得耗到那么晚没有意义,该睡觉时就睡觉，要想让孩子能早睡就要让孩子醒着的时候尽量'快一点'，让孩子睡着的时间尽量'多一点'，用提高效率来取代睡眠不足的恶性循环。"

"你跟老师唱反调，她当然不高兴了。你还说什么了？"

"可能有的孩子做完了学校留的功课，还要完成家长布置的作业，每天都熬到十一二点才能睡觉。要是赶上个大考，睡觉时间就更没谱了。他们不但没了双休日，就连睡眠时间也被挤掉了。一本接一本的练习册压得孩子抬不起头来，在家里每天读书读到趴在写字台上就睡，放下筷子就拿起笔，真不知道会不会搞错，拿着筷子当笔，拿着笔当筷子了。"

"后来呢？"

"后来，老师看我越说越不靠谱，赶紧说，今天就请家长说到这儿，有需要交流的在下面进行交流。我知道我是被赶下了台的，看来是不是把老师的鼻子气歪了？我可是实话实说呀。"

"原来是这样呀，说得好。"

有资料表明，目前在世界各国，只有中国的中小学生每年学习时间最长。科学家研究表明，睡眠时间的长短直接影响到学习成绩，夜间睡眠不足8小时的7~8岁孩子中，有61%成绩低劣，39%成绩平平；睡眠10小时以上的学生中只有13%学习落后，76%都在中等左右，11%出类拔萃。

我的经验是当学校抓得越紧时，家里就得越放松点儿，喘不过气的感觉谁都知道不好受。尤其睡眠，在孩子的生命过程中占有非常重要的地位，睡眠缺乏的孩子晕晕乎乎、跌跌撞撞地来到学校，听课时注意力不能集中，更容易出现学习上的困难。请问，你在埋怨孩子学习不好的同时，有没有注意到你让孩子睡好了吗？

孩子的评语：

挤什么时间也挤不掉我的睡眠时间，现在看来，睡眠和成绩不无直接关系。

我们除了睡觉，就是学习，学习不能少，睡眠能挤占，那些任意增加学习量、考前开夜车，指望我们用课外的时间把学习抓上去的家长，只会适得其反。想一想，你们成年人每天工作时间大多在8小时，我们未成年人为什么要学习十几个钟头呀！

■ 43. 明确学什么, 不在乎考咋样

初中时的一次期末考试前，一天，女儿拿着一张字条让我签字。我一看上面是女儿的笔迹：我保证期末语文成绩95分以上，数学成绩100分……

"天哪，这怎么行，你保证了吗？""我保证了。""我可不能给你签这个字，这样会给你多大压力呀，妈妈不愿这样做。""不行，老师会说的。""那好吧，我签。"

我拿过字条写上：不要求多少分，我相信她会考出好成绩的。我回头对女儿说："一定不要按规定的这个分数去考，只要掌握了所学的知识，不管多少分都没关系，听妈妈的。"

女儿确实没有辜负老师的期望，几门功课考得比老师要求的还高。后来我问她："如果老师规定了分数，妈妈再压你一定要考成这个样子，你心里会怎么想？""那肯定没活路了，我会疯掉的。"

女儿进入高中，学习科目增多，考试难度也更高了。更要命的是到了高三，"学生"在有些人口中变成了"考生"，这无形在并不轻松的女儿脖子上又套上了一层枷锁。我对女儿说："始终把自己作为学生对待考试，把考试当做检查总结提高的加油站来检验自己知识的掌握程度，而不是作为考生紧紧

盯着考试结果。你要成为你自己，就不能为了考试而学。"

有时女儿不满意自己的成绩，我就对她说："这已经很不错了，你自己学的东西是这个平均分能计算出来的吗？只有真正懂得学习的人才会知道如何去学习。"我接着对她说："我遇见了一位在学校学习一直名列前茅的学生家长，问其报了哪所学校，答还没最后定呢。都什么时候了——最后一天了，还没选好呢。要我看，拿着大把的高分还不知选择自己的所爱，比没有那么高的分非常清晰自己去向的人可怜得多。"

孩子从小就要应考，从小忙到大要经历多少大大小小的考试，不光孩子忙，大人也跟着忙。家长四处奔波买来辅导教材，老师竭尽全力寻找高分秘诀，这种考扭曲了多少家长和孩子之间的关系；老师和学生之间的关系；有时也扭曲了家长和教师之间的关系。孩子从小就像一个机器人一样按照统一的指令执行着重复的动作。

第三届中外大学校长论坛上，有的校长的发言令人深思。哈尔滨工业大学校长王树国说："我是研究机器人的，希望机器越来越像人，但作为校长，我担心把人培养得像机器。"他还说，"现在的学生大学一毕业就像一个小老头，没有童真，没有灵气。但这不能怪孩子，是我们的教育体系把他训练成这样的。小孩从幼儿园开始就只有一个目标，就是考大学，功利化的因素使他们对其他事情丧失兴趣。我是学自然科学的，按照控制论的原理，在设计一个系统的时候，不能把整个系统的命脉放在一个节点上，因为一旦这个节点崩溃，整个系统全部崩溃。中国现在的考试制度就是一个在承担着整个系统的节点，这是很危险的。"

中国人民大学校长纪宝成指出："现在衡量和选拔人才的唯一标准就是分数，高考录取，都是按成绩一分一分地顺着从高往低排，差一分都不行！但是，一次考试、一分之差真的就差很多吗？现在动不动就是公平、公正，整个社会的神经高度紧张，已经脆弱到不太正常的地步了，学校还能有多大的空间来自由挑选人才！"

著名华裔物理学家、诺贝尔奖获得者丁肇中真知灼见地指出："考试第一也是重复别人，而科学需要创新。"

的确"吃别人嚼过的馍不香",但不知为什么让人感觉这样的馍越嚼越香呢?

孩子的评语:

妈妈从来没有在我考高分时表现得喜形于色,也没有因为我没考好而谩骂指责,因为她知道考试固然重要,但比考试更重要的是尊重我的人格。试想一个学生看到家长对待考试表现出的如此不安、不切合实际的企盼,自己又怎能不对考试紧张、恐惧呢?

44. 孩子成长中的性与爱

我国对青少年性知识的教育,明显滞后于年轻人对性知识的需求。有资料显示,我国只有3%的年轻人与母亲谈论性话题,与父亲谈论这一话题的只有1%,而30%的人把因特网、电视、杂志或书籍作为性知识的来源。现在通过各种方式与各种媒介接触的年轻人,无疑希望得到一种更广泛更人性化的性教育手段。

一次,一个朋友和我聊天,说他昨晚打了他儿子一顿,我问为什么。他说儿子(上小学)问他什么是"爱"?他问孩子从哪儿听来的?还没等儿子回答,他就不问青红皂白给了儿子一耳光,"你怎么这么小就知道爱"。我说这么小就知道爱没错呀。"什么呀,他肯定指的是男女之间的爱。""世界上包含了无数的爱,为什么不把世上所有的亲情、友情、爱情所有的爱告诉孩子,而你为什么就只想到了性爱?你这样打孩子,孩子以后会害怕谈到爱,以至于不愿接受爱，更不可能把爱传递给他人，他将是一个可怜的不懂得爱的人。"朋友无言以对。

谈到性，我们也是从青春期走过来的人，知道进入青春期的少男少女们有接近异性的愿望和需要。每当接到异性同学给女儿打来电话，我都会对对方更加客气，如果女儿不在，我会告知一定转告她给你回电话。因为这时的男孩子本来心里就很紧张，生怕给对方带来麻烦，你再跟审贼似的，就会让女儿很没面子。还有的时候我一接听电话对方就挂断了，不用说，准是小男生打来的。我对女儿说，"告诉男同学打电话没关系，我妈支持我与同学交往。"有电话打给她，我总是主动关上她的房门从不窃听、监听。女儿反而这些事情不避我，我们才有可能在一起分析别人的心理活动。

愚蠢的父母采取"堵"的办法，聪明的父母则采用"疏"的策略。堵和疏的结果截然不同。与异性交往是男孩女孩们的权利，我们应该尊重他们这种权利，而不能采取"堵"的办法。我认识一位家长，她竟然把她女儿从学校到家的时间用分秒计算，这位母亲以为这样做就可以杜绝孩子不结交异性朋友。一次，女儿在回家的路上正巧遇上了这个女孩和一个男孩，两个人正目无一切地依偎在一起。可怜的家长还以为可以管住孩子，可你怎能管住孩子的心呢？

采用疏导的方法不失为一种上策，你首先应当肯定结交异性不是什么坏事，这是一个人心智发育正常的标志。心平气和地和孩子一起探讨什么是友情、什么是爱情、什么是性与爱，特别是女孩应有的自我保护意识。孩子理解了，他们自然就会理智地面对。

女儿从小学起就喜欢看外国原版电影。人们对看外国电影褒贬不一，我认为，只要挑选好莱坞排行榜靠前的影片就不失为一种间接性教育手段。一方面对西方的文化增加了了解；另一方面有关性的知识从小就有了一定的了解。我们不会因为看到亲吻镜头或床上戏就谈性色变地对她加以限制，只是告诉她西方的文化与我们有所不同，他们的表达方式也不尽相同。不过我们也会对内容过于暴露的影片善意地告诉她，你现在的年龄段还不适宜看，我们给你收着等长大点再看。我认为让孩子从小有选择地从电影中接触到性与爱,慢慢地她也就不以为然了。性要伴随人的一生,性和爱是孩子成长过程中无法回避的。孩子越早接触到性的知识你就越不会被动,不要把性搞得神秘兮兮的,你不给他们讲,他一定是要糊里糊涂地尝试。早点让孩子知道总比限制他到了一定的年龄,在无知中发生不该发生的事情好得多。

当你看不惯现在年轻人的所作所为时,不妨想想自己是否也从年轻时代走过?当你不满孩子为什么这么早谈恋爱时,是否也能想起青春岁月时自己的感受?

孩子的评语:

我们的成长离不开大人的正确帮助,我们希望伴随着爱和性的理解,给我们带来的不是恐惧、紧张和绝望,而是美好生活的向往和精彩的人生。有过、尝过、爱过,人生才不缺憾。

45. 尽量减少"陪读"的时间

我有一个同事,一上班就哈欠连天的,我问她:"是不是昨天太热,没休息好?"

"哪啊,是我那宝贝儿子写作业那个磨呀,我得在旁边看着他呀。"说着又是一个哈欠。

"那你多累呀?为什么不让他自己完成作业?我可从来没管过孩子作业,甚至连她的书都没翻过。"我说。

"你说这孩子怎么就跟没听课似的,什么题都不会做,不给他辅导行吗?

真急死人啦！"同事一脸的无奈。

"那是因为你什么题都会做,有你在身旁,答案直接就有,来得多方便呀。你已经成了他学习的'拐杖'了,他想反正我听不懂,不会做有我妈呢,时间长了他就养成懒得思考的习惯,我觉得,这样下去,会不会不利于孩子建立起自觉学习的习惯？"

"那孩子有的题不会做了,你不能不管他呀？你的孩子怎么学的？"

"我就是不管她呀,孩子一上学我就对她说:妈妈小的时候学习特别差,尤其是数学简直是一塌糊涂,真的没办法给你指导,相信你一定比妈妈学得好。我有时偶尔看看她做的题会说:这么难的题你都会做,我都答不上来。总是高帽给她戴着。让她知道没有大人的帮助,照样可以独立完成学习的。结果她不光数学学得好,每门功课都不差。"

"我的儿子总依赖我,你说他怎么不会自己思考呀？"同事又问。

"是啊,他可以不动脑筋就能在你这儿得到答案,时间长了就形成了习惯。我觉得你应该尽量减少'陪读'的时间,这样不仅你不累还有利于孩子自觉学习习惯的培养, 他也不会一有问题就马上寻求帮助了。哪怕是题做错了,你也要鼓励他,因为是他自己完成的。比如,我女儿的作业本老师让家长签字,作业本上偶尔会出现错题,我看了反而更会表扬她说:这是你经过思考得出的错误答案,相信你一定知道它错在哪里了吧。这样吧,给错题建个'病历',女儿自己错的地方让她自己给它们疗伤,然后错题就会健健康康地出院了。这样做总比父母陪做出来的、得到的虚的'优'强多了。考试的成绩往往比平时还要好。"

"没错,我儿子平时的成绩还不错,一考试就砸锅。"同事来了兴致。"那是因为平时'好'的成绩一多半是你的功劳呀,让他从自己的错误中学习要比你给予的正确指导要好。"我没有一点儿敌意,一语道破。

回到家,我把同事的做法讲给女儿听,我问:"你小的时候愿意在你做作业的时候妈妈就坐在你身边吗？"

"当然不愿意！我有能力自己做好一切,何必多个监工的。"女儿理直气壮地说。

"也是啊，就如同我在工作中，我觉得自己已经尽职尽责了，如果上司还总盯着不放，是不是有不被信任的感觉？"我反问。

"就是嘛！"女儿爽快地答道。

其实做父母的没有必要把自己想象得那么重要。应该为孩子提供尽可能自己解决问题的机会，让他们尝试通过自己的努力，问题可以迎刃而解带来的喜悦。应尽早培养孩子独立思考的能力，养成独立学习的习惯，因为没人能替代孩子的将来。

孩子的评语：

我小的时候还真的以为父母不如我。在今天，我仍然有无数的问题需要得到他们的解答。

与其说大人的知识足够支撑我们提出的问题，倒不如先给我们人为地制造成一种无助的感觉，这样更能培养出我们独立思考的能力，并能独立处理好将来遇到的未知问题，而不是一遇到困难就寻求帮助，轻易得到问题的答案。

46. 教科书不是真正的"书"

铃……门铃又响了起来。"我是当当网送书的。"

从猫眼儿看到一个小伙子抱着几本书，我边开门边说："刚才你们已经有人给送过来了，搞错了吧？"

"没错，没错，是我的，我又买了几本。"女儿忙跑过来解释。

"我还以为送重了呢。都快开学了，你还有时间看这么多书呀？"

"寒来暑往、秋收冬藏呀，上学才是我看书的好时候。有几门课实在没意思，又翘不了课，那就只好上课时老师讲他的，我看我的喽。"

"你这么想我觉得没错，再说，教科书不能告诉你怎么去运用它，运用的智慧在于书本之外，在学校你和大家读的书都一样，将来真正见功夫在于教科书以外使你受益的书，是吧？"

"我只可惜一天的时间不够用，我看别人闲着总想如果能把他们的时间给我享用就好了。"

"那是因为大学前教科书压得太多了，有的人甚至到了看见字就反胃的程度，大学期间你们正是需要广泛地补充新知识的阶段，可在这个阶段有些人又什么书都懒得看了。"

的确，女儿从小就爱上了课外读物。无论睡觉前还是上厕所，乘车中还是课间时，她都手不释卷。她从不喜欢到图书馆和向别人借书看，看到自己想要的书必买下才能满足她的占有欲。只记得有一本书她是和朋友分享的，一本原版的《哈里·波特》，两人各出了一半的钱，朋友先看，然后归她。后来她又买了一本便宜的给了朋友。有的书她看了译本觉得好看，就托人一定要从国外买回原著读才过瘾。

女儿读的书的范围较广：艺术、文学、哲学、历史等，无论是精读还是涉览，什么时候读什么时候翻，完全要看她这个阶段主要的兴趣。我希望女儿像胡适一样把读书的目标视为：为学要如金字塔，要能广大要能高。家里的报纸书刊有订的、有网上送货的、还有书报亭上看着好随时捏来的，最不可放过的是每年春、秋季书市上淘来的。当看到心爱的书时她总是两眼冒光、连闻带吻，不管我说过这样闻油墨对健康没好处。

林语堂在一次演讲中谈到读书，说学校专读教科书，而教科书并不是真正的书。著名科学家爱因斯坦也认为："人的差异在业余时间。"孩子在学校环境相同，学的东西相等，难以形成大的差异。女儿的读书经历告诉我：一天二十四小时，除去睡觉吃饭十小时，上学十小时，当有四小时闲暇，哪怕一小时用来读书（可不是教科书），读自己喜欢研究的书，别看平时零存着读，寒暑假便可整存着读,当你需要整取的时候,会发现学问之道大有长进。

女儿的知识储备是在小学中后期看大部头文学名著时就开始了,高中尽管想给自己更多的时间读书,但为了高考教科书不得不读,她常为没有时间读自己想看的书烦恼。即便是一天再没有时间,床头那本等待了她一整天的书也会伴随她安然入睡。到了大学她又几乎无日不腾出一些时间读书了。如果在孩子十几年的生活中只把读教科书当做读书,那就把他们荒疏了(现行的语文课本及配套课余扩展读物倒是不错,可惜经常被忽视)。说老实话,现在的孩子不爱读书,责任不在孩子。有些老师为了升学率,告诉孩子考什么就背什么,不考就可以不学。有些家长掌控着孩子的每一分钟,不让他们片刻离开教科书。教科书不能不读,但读多了孩子就对读书没兴趣了。所以我告诉女儿读教科书是在学校的事,读课外书才是自己的事;指定的教科书、标准的答案只能培养标准化的人才,跟随、模仿都是别人的事,探索、创造才是你的事。

现在我们让孩子读书不免有些功利了,正像林语堂所说的:读书本是一种心灵的活动,向来算为清高,"万般皆下品,唯有读书高"。所以读书一向称为雅事乐事。但是现在的雅事乐事已经不雅不乐了。今人读书,常为取资格,得学位……诸如此类,都是借读书之名,取利禄之实,皆非读书本旨。

孩子的未来取决于他的创造力,我不否认追求高效率的知识传授的优势,但这种方式只能在单一能力上打造。每当老师推荐的应付考试的书,我不主张她买,我告诉她:"把学校的那几本学好了就够了,题海、考试指南这类书堆得越多只能让脑子越木。你的与众不同在于你读的书与别人不同。你只要知道到哪里去寻找所需要的知识比死记硬背能得到多得多的知识。"

教育家苏霍姆林斯基就说过:"不经常阅读科学书籍和科普读物,就谈不上对知识的兴趣。如果学生一步也不跨出教科书的框框,那就无从说起他对知识有稳定的兴趣。"梁漱溟也曾经说过:"学问必经自己求得来者,方才切实有受用。"

教科书中有特定的知识要学,生活中还有更多的知识需要储备。然而,我们只愿意把教科书推向孩子,老师开出书单买去吧,题库中的题做去吧,考前补习班上去吧。慢慢地有趣的事变成了苦差事，主动的事变成了被动的事，甚至有的孩子显示出对书的憎恨，考完试当即把书撕毁扔掉，发誓再也不想读书了。灾难不仅在于他们走出学校时是个恨书人，而且还在于他们一回想起当年读书时的情景就感到痛心，更可怕的是他对今后的学习便没了兴趣。

郭沫若也说了："教育的目的是养成自己学习，自己研究，用自己的头脑来想，用自己的眼睛来看，用自己的手来做的这种精神。"因此，有意义的学习绝不是以填鸭式地强迫孩子无助地、顺从地学习枯燥乏味、琐碎呆板、学后即忘的教科书，而是在好奇心、求知欲驱使下，汲取到的任何他们自认为需要和有兴趣的东西，从而构建自己的知识体系。

让孩子拥有更多属于自己的东西，把孩子的脑子腾空一些，不要再装满那些做不完的东西，多读一些有用的东西，这样不仅不会耽误事情，而且会惊奇地发现孩子生命中的美丽和奇迹。

孩子的评语：

我在大学之前，如果把教科书比喻成一天当中不能不吃的"主食"，那课外书就是我一天不能少而且爱吃的"副食"，到了大学就反过来了。

多少同学从小学到中学十几年来，所有的课余时间都是在题海中度过的。如果十几年的所学只停留在学校那么多，毕业后就会发现自己其实什么都不懂。

读自己想看的书与教科书不同的是先有了自己的思想再去参考别人的意见，一个是主动地摄取；一个是被动地接受。主动地读书才能让人"开茅塞，除鄙见，得新知，增学问，广见识，养性灵"。

■ 47. 家教真的有必要吗

今天的父母比以往任何一代的父母都更加愿意在自己子女的教育上投资了。

看到《北京青年报》有一则消息：女儿上学六年来全家头回过周日。连到院子里找小朋友跳绳也成了盼望已久的事了。真可怜啊！大部分孩子现在的生活确实已经简单到只剩下吃饭、学习、睡觉了。他们学了太多不该学也没必要学的东西；重复了太多没必要也不需要掌握的东西。自然，这就带动了一个特殊的产业——家教。

初三时的一次期末考试前，老师让女儿班上的同学写下保证要考到多少多少分，毫无疑问给女儿下的指标最高。女儿回来对我说了。我像对待以往的考试一样对她说："听妈妈的，你认为考出自己的水平就够了。"我经常在关键时刻拉女儿后腿。

"这还不算，老师还让我们几个学习好的同学再加强一下训练，老师给我们找了个家教让我们双休日必须去。"女儿又说。

我没等女儿说完："不去！我这儿一个劲儿地减压，可老师却还要给加码，我跟老师说去。"

还是女儿冷静，不疾不徐地说："既然老师说了，我还是去一次，不就是花一次钱，让我也知道知道什么是家教。"女儿在万分痛苦（占用了她想做自己事情的时间）却又十分无奈中（不能一点儿面子不给老师）体验了一次家教。

光是路程来回就是3个小时，还甭说堵车。

看得出老师是知道孩子学习情况的，出了几道题做去吧，她没有考虑每个孩子的差异，做的题都一样，不用说女儿全会。他们几个闷头做题时，老师居然还炫耀有多少学生在等着她呢，不容分说提早下课，说是下次来再补，于是又忙着赶场去了。

时间掐头去尾没上满，钱可一分不少收。你凭什么要人家那么多钱却一点儿不负责任，恐怕孩子考试结果与这种老师并无多大关系。纯属以家教为名，敛财为实。这让我联想起家教和某些美容手术并无多大区别。给你做了美容手术，至于好看不好看，我只承认我的手术是成功的；这种家教管你孩子成绩能否提高，考好考不好，我只保证我教的没错。

女儿大胆地拒绝再上第二次。我可以想象出当时老师的脸由晴转阴的过程，更看到女儿像回绝兜售商品的小贩一样，拒绝了自己不想要的东西。在我教育女儿的字典中再也不希望看到"家教"二字。因为给孩子请家教不如教会孩子自教（自己教育自己），毛主席曾经教导我们：外因是通过内因而起作用的，我们却都忘记了。

我从不把考试成绩作为衡量孩子的唯一标准，尤其不会让别人以考试成绩所作的评估左右我对孩子其他方面的提高。也就是既能应对应试教育，又不能为其所役。家教这种课堂的延续、知识机械的翻版，无情地夺去了孩子本该属于他们的时间，不光造成父母经济上的损失，更带给孩子精神上的损伤。家教也许能使考试提高几分，可你想过没有，这样会使孩子的自信心降到低谷，我如果按老师说的坚持让女儿去学，我想，我的行为一定是在暗示她：你不行，才让你去上家教。

任何事物总是有需求就有市场，有市场就有客户，家教也像一种产品，买不买产品，关键是在购买之前看你需不需要。别的孩子多多少少都有个班上，我也曾怀疑什么班都不上算不算件好事，但实验的结果不容置疑。

我也知道学校的苦衷，也明白老师的难处，更理解父母的苦心、孩子的无奈。至于请家教是不是浪费父母的钱财，家教是不是能使孩子的成绩得到提高……家教是不是会降低孩子的自信心，这要看你看重的是什么，我在这一点上认为增强孩子一份自信心比提高几分成绩更有价值。

孩子的评语：
家长通常是相信老师、相信家教，可我说——你错了。因为你忽视了一个最该相信的对象,那就是我们。我们拥有的不是太少,而是父母欲望太多。钱花了、时间浪费了、自信心没了,收效微乎其微,有钱难买你乐意呀。

我觉得,家庭教育的好坏,不是为孩子请了多少教师,做了多少难题怪题,而在于父母针对自己孩子的培养所采取的态度和教育方式。

■ 48. 热爱生活,学会自理

"你们都放假了,该姑奶奶歇歇了,今天你们谁做饭自己商量吧。"我做出罢工不干了的样子说。

"简单做点就行了,还是你俩想着做吧。"老爸推托着。

和女儿一商量不能让他逃避,我郑重地说:"今天来个家庭厨艺比拼,我给你们两个规定同样的菜品是:做一个青菜,一个豆腐,我是评委,晚上7点准时用餐,你俩准备去做吧。"

做饭可是老爸的弱项,他有点儿犯难。女儿可难不倒,只见她又翻食谱,又到网上看视频的制作方法。两人在厨房里忙活开了。

快到时间了,我坐在桌前,看了一下表大声地提醒道:"7点准时开饭!"

还是女儿先把菜摆上了桌,她边上边介绍着说:"我出品的菜是:炝炒圆白菜、豆腐箱子。"

"你呢?老爸,已经超过几分钟了,按道理说应该取消参赛资格。"我假装一脸的严肃。

"厨房里的资源都被她占着，想用什么没什么，说让我用别的代替，真够欺负人的。"老爸说着忙把他的作品端上。

"我做的是：素烧豆腐块、凉拌圆白菜。"他看着女儿的作品自愧不如地说。

"什么豆腐块，应该改成叫豆腐泥，豆腐块切好了应该在开水里焯一下才不碎呢，学一手吧。"女儿冲着老爸做了个怪样。

我拿起筷子摆出姿势："现在我来品尝。先来尝尝这盘最具水平的'豆腐箱子'吧，嗯，味道好极了，快说说怎么做的。"

女儿一听夸她的得意之作，打开了话匣子："先把一块豆腐一切四块，在油中煎黄，然后凉凉待用。"

"嗬，还挺专业的，继续说。"我插了一嘴。

"这时准备装箱的材料，把胡萝卜、香菇、荸荠等切碎待用，再准备剥好的虾仁用盐、料酒腌一下。下一步在炒锅中放上黄油，热后放上洋葱末煸炒后放入胡萝卜、香菇、荸荠一起翻炒，再放点儿盐、胡椒粉等作料。"

"真够复杂的，这些作料还不全告诉咱们，是不是这道菜应当改成'暗箱操作'了。"我笑着说。

"听着，下一步最见功夫的就是把豆腐变成箱子。把长方形的一面留一个长的边，用刀子在其他三边轻轻划开，可不能切得太深，不然箱子就漏了，之后打开箱子盖，把箱子掏空，再把准备好的馅儿放进箱子里，然后把虾仁摆上盖盖，最后放进盘子上锅蒸几分钟就好了。"女儿大讲着操作过程。

"不光好吃，而且好看呢。"我以一种我们母女间特有的默契敲着锣边说。

"那是，我看蒸出来的效果并不好看，就在盘子周围摆上了好看的黄瓜和小西红柿片，不光好看，还能增加食欲呢！告诉你们，我并没有完全按照食谱规定的做，首先食谱说的是用肉加其他的，我用的是虾仁，它说的用色拉油，我用的是我爱吃的黄油。"女儿为自己的作品滔滔不绝。

"有创新，更要加分。别我们光说，你也尝尝。"我指着老爸让他动筷。

"是不错，比你做的菜好吃。"老爸看了女儿一眼想拍个马屁。

"下面再来尝尝老爸做的。怎么没味儿呀？你自己尝尝。"我说。

老爸和女儿都尝了尝，"是有点儿淡"。老爸说了声。

"什么有点儿淡，根本没放盐！"女儿还没等嚼完，就把老爸做的两盘菜折到一起，指着锅说，"加点儿盐，加上水，你的菜只能改成白菜豆腐汤了。"

"哈哈哈哈，谁让你这么多年做饭的技术一点儿不与时俱进呢。"

我看着老爸惊讶呆愣的样子，笑对着他说："服不服气？对不起，今天的厨艺高手不是你，不过给你一个机会，由老爸提供赞助，给你的对手发奖吧?！"

"她不是也只会做这几样菜吗？"老爸有点没面子，狡辩道。

"我今天做的烩炒圆白菜可以延伸到烩炒任何菜，只要你说得出菜名，我都能炒得出来。"女儿不服气地说。

"得了得了，别吵了，反正你输了，赶紧想想给人发什么奖吧。"我说。

老爸想了一下，放下手中的筷子说："好，好！这个奖由我来发，那就是……再做一顿吧。"

生活中，有些事情是孩子不愿意做的，只要你换个方式让他们高高兴兴地去做，他们做得一点儿也不比你差。

孩子的评语：
老妈也知道老爸在做饭上"朽木不可雕也"，不过是通过这种方式刺激一下我，让我热爱生活，学会自理。不妨试试吧。

■ 49. 给孩子搭把手就行了

50年前，我国著名教育家陈鹤琴先生就针对父母对儿童照料过度的现象说了这样一句话："做母亲的最好只有一只手。"在实践中，我也体会到，其实给孩子搭把手就行了，你为孩子做得越多，就越剥夺他们成长的权利。

生活中只要女儿能自己做的事情，我都希望她自己做。不要以为孩子生来的任务就是学习，只要他们学习好，其他家务都可以免做。其实让他们做些家务也是休息的一种方式。如果他们用种种理由搪塞，不妨换个方式。

一次，老爸给女儿洗了好几件衣服。其实每次都是我顺手叠上。这次我不想干了。看了看女儿正看书，就走过去轻轻说："一会儿我和老爸比赛叠衣服，请你做评委，好吗？"

"好吧，现在就可以做！"女儿放下书，迫不及待地招呼开了。

老爸丈二和尚摸不着头脑，我和他嘀咕了几句。"快点来参加比赛，同样的一件衣服，一条裤子。衣服叠得必须像买的一样，裤子必须叠出裤线来，奖品是谁叠得快，谁就能得到女儿的一个吻。"

女儿急忙找出跑表，又翻出个哨子，洗了洗放在嘴上："我一吹哨就开始算时间，老爸你先来吧。"

"还得叠得像买的一样，还要叠出裤线来……"老爸笨手笨脚一边叠着一边叨咕着。

"叠完了，这哪能难倒老爸！"老爸得意地说着。

"记住，老爸用了1分12秒，下一个该老妈了。"女儿命令着。

我三下五除二就叠完了，只用了30秒。因为叠得好、叠得快，我美美地得到女儿一个吻。

"老妈，你能不能叠得慢一点儿，让我看清楚一点儿，我也想和爸爸比一比。"女儿来了兴致，我暗自高兴。女儿学得真快，不一会儿，就把衣服叠得平平整整。我问她："想不想现在就和老爸比？"

"好、好、好。"女儿自信地答应着,自己又巩固了一遍。

"回来,回来,还有人要和你比一下呢。"我又把老爸拽了回来。

"你,我比不过,我总不会输给她吧?"老爸明白了叫他来的用意。

我宣布:"这回,你们俩每人拿一件衣服和一条裤子,我增加点儿难度,先把衣服背面翻过来再叠,我一吹哨就开始!"

"准备好了吗? 开始!"

"让我跟她比赛……"老爸假装不服气地说,眼睛时不时地看着女儿。

我在一旁给女儿鼓劲儿,衣服在她娴熟的小手下听话地摆弄着。眼瞅着女儿快叠完了,我马上掐住了表:"35秒! "

再看老爸,双手显得更笨了,时儿拍拍,时儿摁摁,一个动作笨笨地重复好几次。

"好了,好了,人家早叠好了,你看,多平整呀! 认输了吧?"我冲着老爸大笑。

看看女儿叠的,再看看自己的,老爸假装又投降了。

从此以后规矩立下了:谁的衣服谁自己叠。

孩子在生活不能自理的时候,我们搭把手是必要的,目的是让他们明白在这种照料中要逐步学会自理、自立的能力。但如果孩子可以自己做些事情了,家长还要包办代替,那就错了。不让孩子动手、动脚、动脑,就如同束缚了他们的手、脚和脑,等他们长大了什么事情都不会做,试想这样一个在生活上不能自理,失去自信心的人,将来在工作、学习中会有出色的表现吗?

总之,孩子已经会自己吃饭了,父母就不要再一口一口追着喂;孩子会走路了,家长就不要总抱在怀里,让他们用自己的双脚走好每一步;孩子会自己拿东西了,就没必要将东西一件一件地递到他们的手里;孩子会自己洗漱了,就不要怕他们洗不干净;孩子会自己穿衣服了,就让他们自己动手,哪怕是穿反了,扣子系错了;孩子自己会洗自己的小件物品,就让他们自己洗,不怕洗不干净;孩子想和你一起包饺子,就不要怕把面弄得满身满脸;孩子上学了,学校近,不经过大马路,就没必要为孩子背着书包每天接送;孩子学骑自行车就不怕他磕着、碰着;孩子做作业,不要陪在他身边,替他们削铅笔、用橡皮擦去写错的字；写完作业，收拾书包的是孩子，而不是你；还有……只要他们能干的，放开孩子的手脚，什么事都让他们自己动手，你也轻松了，孩子也成长了。否则，孩子连犯错误的机会都没有了。

我想，孩子过的只是"衣来伸手，饭来张口，闷头学习"的生活，一定是痛苦的生活。如果孩子长时间缺乏对自己能力的自信，会认为自己是个无用的人。我们应当让他们勇敢地进行各种尝试，学会各种生活的方法，适应各种外界环境，使自己尽早能够融入这个世界。

孩子的评语：

家长对我们的事情管得越多，我们的表现就越差。有些毛病不是我们与生俱来就有的，而是后天惯出来的，因为在我们年幼的时候，我们是依靠大人的态度来判断什么事是我们能做的。我们想做的时候不让我们做；该我们做的时候，我们又不会做；等你们需要我们做的时候，恐怕等来的只能是后悔了。是谁剥夺了我们从小锻炼的机会和独立的权利？

50. 别让孩子的创意沉睡

有时我们总觉得自己的孩子呆头呆脑，老跟着别人跑，没有一点儿自己的想法。这么想你就错了，不是孩子天生没有创意，而是我们没有找到为孩子释放他的创意的方法和途径。比如孩子默默地搭积木，不断地尝试着各种方法，设法将零乱的积木建成自己心中的殿堂，其实就是在不断培养着自己的创造潜能。发挥创意并不难，因为这是每个孩子与生俱来就有的能力，只是我们没有去发现它、挖掘它而已。

创意产生于无高压的环境。心理学家认为，创意思考是每个人原本就具备的能力，有些人只是缺乏正确的做法去开发这项潜能。有利于孩子创新能力的培养，家庭氛围必须是宽松愉悦的。我从不要求孩子做一个听话的好孩子(在学校一定要听老师的话，在家里不辨是非地听从大人的教诲)。我告诉孩子，不管我们大人的年龄和地位与你相比差距有多大，我们之间的关系是平等的、民主的、自由自在的。有事大家商量，共同想办法，没有谁听谁的，只有谁的主意好就应听谁的。让孩子从小就有参与意识，鼓励孩子参与大人的讨论，积极开动脑筋，培养创新意识。

比如，女儿无论走到哪儿，看到使她着迷的东西，就会一屁股做到地上鼓捣，而且很快就能达到忘我的程度。每当这时，我都不会因为怕脏阻止她的行为，因为正是这种内心的无拘无束，才是她进行创造性玩耍的基础。

我们要给孩子提供一个能培养创新思维的环境。广泛而独特的创意兴趣，目标明确的创意动机，积极饱满的创意激情，坚定不移的创意毅力，都要有宽松的环境作保障。如果孩子生活在紧张的、压抑的、甚至是恐怖的环境中，很难想象他将来能成为一个创新型人才。

创意源于广博的知识，但仅有知识，即使智商再高，也不一定就有创新能力。如果我们只让孩子画画、写字、背诗、做题、考学，只能使孩子成为书呆子，不可能成为有创新能力的人。许多心理学家研究证实，创意思考必须经过一段重要的过程——准备阶段。

女儿小的时候，我只要一有闲暇时间，总是带她接触各种新鲜事物。到农村去，亲眼看看家禽家畜，认识农作物，欣赏田园风光，闻一闻泥土的芳香。或到别的城市去，看一看那里的风土人情，体验一下那里的乡音，了解一下不同地域的人文地理。孩子认识事物越多，就越可能扩大他们的想象空间。否则，也许孩子的学习成绩越是接近你为其制定的目标，就越是可能与创造性思维偏离。

让孩子没完没了地呆坐在桌前重复课本上的知识，不妨让他们多出去走走,看看艺术展,听听音乐会,与有共同语言的朋友聊聊天,去做一件显然可以让他尽兴的事情。给孩子多一些空想时间,自由自在地做白日梦,有时最有创意的想法就在这种轻松的时候产生了。孩子对周围的事物永远保持的好奇心和越来越敏锐的观察力,在学习中才会不断有新的发现。

当孩子知道的越多他就越能冒出有创意的点子。告诉孩子其实创意不是从无到有的过程,而是前人已经创造出来的东西,只需运用你的智慧进行整合。正如有人说的,"所谓有创意的人,就是他能够将看似毫无相关的不同元素有机地组合在一起,使之创造新的东西成为可能。"

家长要成为孩子探究行为的支持者。苏格拉底说过:"我只知我对这个世界一无所知。"道出了他对自己不知的感兴趣。探究行为就是一种非常规的学习行为,通常带有明显的兴趣性、想象性、即时性、尝试性、探奇性,甚至表现为某种"破坏性"和异想天开等特点。我经常鼓励女儿从事与学校学习不相干的活动,目的就是尽量培养她的求知欲望。

刚上高中时,学校英语角组织学生表演英语剧,女儿不满足拿个现成的剧本照着演,而是突发奇想,自编、自导、自演,最后还在电脑上剪辑制作了一部英文DV。我鼓励她说:敢于实践而出错的人总比不干事没错的人可爱得多。我表示了对她的支持并期待着做她的第一位观众,我为她提供了一切可能的硬件条件,满足了她强烈的尝试愿望。这种大胆的探究行为满足了她的自我的需求,也得到了外界肯定,她的这部短片处女作入围了"2003北京国际DV论坛·剧情片"。

我们应当关注孩子们的天赋能发挥到什么程度,鼓励他们以新的方式进行思考,充分开启他们的创造性思维,愿意他们接受一些不同寻常的东西。像托尔斯泰向人们提出过的忠告:"如果学生在学校里学习的结果是使自己什么也不会创造,那他的一生将永远是模仿和抄袭。"应试教育、学校排名、机械记忆不知抑制了多少孩子的创造力、想象力,别再浪费孩子固有的天分,别再让孩子的创意沉睡了。

孩子的评语：

在我们的成长环境中，会有太多的东西锁住我们，最可怕的是一旦把这些枷锁当成习惯，视为理所当然，那我们独特的创意就算被彻底扼杀了。只有在没有外界压力时，我们脑子里原本奇奇怪怪的思绪才会变成学习知识的动力，创意也会随之而来。

■ 51. 捍卫孩子的学习兴趣

女儿考上大学的那个暑假，按照以往(每个假期为自己掌握一项基本技能)的惯例，女儿说想学习绘画。

我顺路给她报了名。走进学校，楼道挂满了训练有素的一幅幅作品，张张彰显着相当的水平。老师滔滔不绝地对我介绍说："我教的学生中有考上清华的，有出国深造的，有分到设计院的……"

"我是帮女儿来报名的。"我说。

"多大了？"老师问。

"今年考上大学了。"我回答。

"那还学什么？"老师有些不解地问。

"是她自己想要学也觉得需要学了，不过她从小一直也有这个兴趣。"我解释说。接着我又问："是不是不收这么大的了？您这儿学画的孩子都多大？"

"没关系，多大的都有。"老师忙回答。

我交了费，聊了会儿。老师送我出来，我顺手指着一幅画问："这是学生画的吗？"

老师说："这几幅是我画的。"

回到家，女儿迫不及待地问："报上名了吗？"

我笑着对女儿说："报上了。别的父母都从小培养孩子的兴趣，我这18年一直在等待你的兴趣。"其实女儿在幼儿园时绘画就天马行空，还得了不少国际大奖，这些画现在我还留着。上小学后，周围的孩子都去按部就班学素描了，女儿回来后"声明"实在不喜欢老师告诉她画什么就画什么，于是绘画就转为纯粹爱好了。

"我从小就喜欢画画，只是觉得现在是需要提高一下的时候了。"女儿接着说："如果我小的时候您逼着我学，说不定现在早没了这个兴趣。"

"这正是孩子被动地被培养'兴趣'和家长耐心地等待孩子兴趣的区别。如果妈妈从小强迫你学这学那，不用说画画的兴趣没有了，就连对其他东西的学习兴趣恐怕也没了，这才是最可怕的，所以妈妈从不给你报任何兴趣班、补习班，但时刻关注着、发现着你的兴趣。这么多年，妈妈最怕丢失的就是你对学习的兴趣，你看你现在那么多的兴趣爱好都冒出来了，这才是你自己的所爱。"

女儿得意地说了一句："俗话说得好，'强扭的瓜不甜'。"

过了几天，女儿挺得意地说："老师说我的感觉特别好，让我进度可以快一点。"

我开玩笑地问："那儿的学生年龄都比你小，是不是有老一辈的感觉？"

"最小的上小学，当然我最大。但是我们画画的目的不一样，画出的效果也不一样。"女儿气定神闲，一派从容。

后来，女儿假期由于工作太忙，也没画过几次，也没时间取回画夹，我只好顺路代劳了。

我背着画夹下楼，迎面碰见两个一脸稚气的女孩，她们背着沉重的书包，准是刚下学就来了，一个女孩嘴里还嚼着东西。

我很想知道她们为什么学习绘画，就问："到这儿来的是不是都像你俩一样特别喜欢画画？"

"我才不喜欢画呢！"两个女孩几乎是异口同声。

"除了画画，我还要上好几个班呢。"女孩一脸的无奈。

"我妈说让我好好画，以后上名校还能加分呢。"另一个女孩抢着说。

"那你们为什么不和妈妈商量商量，不想学就别学了。"我说。

"我妈说，给你花了钱就得好好学，要不然对不起这个学费。"其中一个说。

"反正我熬够了时间再回家，我妈就不会说我了。"嚼着东西的那个女孩说。

这让我感觉，对于孩子心中最值得尊敬的老师——兴趣没有了，站在他们面前指手画脚的老师又有何用？

我在感慨"可怜天下父母心"的同时，更感触到可怜孩子的一颗冰冷的心。

捍卫孩子的学习兴趣比让孩子学习本身更珍贵。因此，在孩子学东西之前应先解决两个问题：首先是愿意学的问题，其次才是如何学的问题。我们不应当让孩子在两种情况下学习：一个是缺乏兴趣地学。即不情愿地在家长和老师的威逼下学，在众多考试的压力下学。二是没有信心地学。孩子之所以厌学，是因为他们对学习丧失了信心。为什么没有信心？是因为学习不是在他们有兴趣的情况下进行的，而是在重压下不得不痛苦地学。这样，一旦遇到一点挫折他们就会失去信心。如果一个孩子从小就对学习失去了信心，将来怎能在工作上成就一番事业？

当孩子的思维、行动没有被过多地干涉，他们的生命才是开放的。不会有人承认，我们对孩子每个行动的"代劳"，都是对他们兴趣选择的一次践踏。每当我看着那些大人背着琴、扛着画夹子，带着孩子奔忙在孩子们仅有的休息时间里，不禁要问，那都是孩子的兴趣所在吗？至于孩子到底想学什么，有人在乎吗？

孩子的评语：

我们身边的同学经常在做着父母有兴趣做的事，他们一天到晚忙忙碌碌地去着他们并不想去的地方，学着他们并不喜欢的东西，为的是得到除了他们自己以外父母们想要的东西——证书。

我没有那么多的光环，也没有那么多的荣耀，因为我的妈妈知道，要那么多证书真是要成了来无大用、弃之可惜的摆设，而尊重我的意愿是最重要的。

52. 女儿从没得到过物质奖赏

女儿说："今天我们学用'如果……就……'造句子，班里有个同学造的是'这星期日我爸说如果有空儿，就带我到公园去遛鸟'。"

"什么是遛鸟？"

"你看到过有些人拿着鸟笼子，周围蒙着布，边走边晃动着鸟笼子吗？这就是遛鸟吧。"

"还有的同学造的句子是：'如果我能考100分，我爸就给我买电动手枪玩具。'有的说'如果我考第一名，我妈就带我去吃肯德基……'"

"你是怎么造的句子？"

"这次期末考试如果我能考100分，我就让妈妈给我买一本我喜欢的书。"

我觉得有点儿不对劲儿，心想，怎么孩子们把考试和需求都弄到一块儿了？于是我对女儿说："这个句子造得不错，妈妈知道你是想要书了。不要等到期末，也不一定要考100分，妈妈也会给你买的。能不能再用'如果……就……'造个别的句子？"

……

孩子之所以造出这样的句子，无不与家长在考试之前对孩子许下承诺有关：如果你能考100分我就给你买你想要的玩具，如果你能考前几名我就带你去吃麦当劳或肯德基，如果你的成绩能赶上某某，这个假期我就带你去旅游，如果你能……我就给你买电动玩具、名牌鞋、手机、游戏机、数码照相机、笔记本电脑，直到房子、车、国外留学等等。十几年来一些家长不知用"如果……就……"造了多少句子。只是句子前半句的内容基本不变，后半句的内容花样翻新，价码越来越高。

孩子到底为了什么而学习？如果孩子单纯地为了得到家长的奖励，他的学习动机是不是就不在学习本身而是学习之外的事了呢？

在奖励孩子的问题上，我以为最好的办法就是淡泊孩子对钱的认识，特别是不要把钱和他的学习成绩联系在一起。钱确实能给人带来刺激，家长用它来刺激孩子好好学习，孩子用它来换自己想得到的东西。但这容易导致孩子为了分数，做出一些不该做的事情，如：让学习好的同学替写作业，考试作弊，模仿家长签字，偷改试卷成绩……

一次在电视节目中，看见一位痛哭流涕的母亲，原来她的宝贝儿子一定要逼着她买车，这对一个工薪家庭来说可不是一件轻而易举的事。母亲为了儿子，平时自己省吃俭用，一顿6元的午餐也舍不得吃，穿着多少年前过时的衣服，上班连公交车都舍不得坐。他儿子却说："学校那么远，让我挤公共汽车我受不了，不给我买车我就不上学……"

"你知道家里没那么多钱给你买，怎么办？"主持人问。

"她不会借去吗？等我有了车好好上学赶明儿挣了钱还给她。"

我实在按捺不住自己的愤怒，对着电视机说："你有了车也学不好，今后也无法偿还！"

气愤之余一想，这能怨谁呀？一定是这位母亲十几年前就开始用"如果……就……"造句子，必然导致今天这个结果。从要一顿麦当劳、一把电动手枪到现在要车，我相信这位母亲对这样的句子再也不愿也无力造下去了。

孩子的评语：

起初我们谁也不会想到物质与成绩之间有联系，是父母告诉了我们两者之间的关系。在物质和金钱的诱惑下，大人们都难抵挡更何况我们呢？老妈倒挺聪明，钱也没花，我的成绩还令人满意。在我身上她从来就没有让物质与成绩挂钩，而是用赞赏替代了物质的诱惑。

53. 别拿自己孩子与他人做比较

现在独生子女的父母似乎多了一种嗜好，那就是"比"。

"你家孩子多少公斤，我的孩子怎么这么小？"刚出生就开始比了。

刚上幼儿园就四处打听，"你给孩子报什么班？""我给孩子报了多少多少个班。""你家孩子是练钢琴，还是舞蹈？""我让孩子背唐诗，学算术。"也不自问一下是孩子的兴趣还是你自己的意愿。

到了孩子上学，有些父母更是不甘人后，这个兴趣班，那个辅导课，这个考级，那个奥学校，压得孩子喘不过气来。

再这样比下去，孩子真就没活路了。

人们常说，"人比人得死，货比货得扔"，我认为，唯有孩子不能比。

周围的家长经常问我："你孩子怎么那么好，你都给她报过什么班？"

我的回答:学校以外的任何班都没报过。

别的父母都是在苦心竭力培养孩子的兴趣,补习班、提高班、艺术班、体育班,一个都不能少,我与别人不同的是静观其变,发现孩子的兴趣。

如果邻家孩子辍学或离家出走,相信其他父母都不会叫孩子效仿;但如果谁家孩子哪方面优秀,家长就会坐不住了。其实,分析自己孩子的个性,研究自己的教育方式与孩子的个性是否有悖,远比盲目跟风更重要。

美国有一个关于成功的寓言故事,一直广泛流传。它取自一本名为《飞向成功》的畅销书,作者之一便是唐纳德·克里夫顿博士。

这个寓言故事讲的是,为了和人类一样聪明,森林里的动物们开办了一所学校。开学典礼的第一天,来了许多动物,有小鸡、小鸭、小鸟,还有小兔、小山羊、小松鼠。而学校为它们开设了5门课程,唱歌、跳舞、跑步、爬山和游泳。当老师宣布,今天上跑步课时,小兔子兴奋得一下从体育场地跑了一个来回,并自豪地说:我能做好我天生就喜欢做的事!而再看看其他小动物,有噘着嘴的,有耷拉着脸的。放学后,小兔回到家对妈妈说,这个学校真棒!我太喜欢了。第二天一大早,小兔子蹦蹦跳跳来到学校。老师宣布,今天上游泳课,小鸭也兴奋得一下跳进了水里。天生恐水,祖上从来没有会游泳的,小兔傻了眼,其他小动物更没了招。接下来,第三天是唱歌课,第四天是爬山课……以后发生的情况,便可以猜到了,学校里的每一天课程,小动物们总有喜欢的和不喜欢的。

唐纳德·克里夫顿博士说,这个寓言故事寓意深远,它诠释了一个通俗的哲理,那就是"不能让猪去唱歌,不能让兔子学游泳"。欲离成功最近,小兔子就应跑步,小鸭子就该游泳,小松鼠就得爬树。

孩子也一样,每个孩子都有其独特的才干以及用才干构成的独特优势,做父母重要的是要走近孩子,知道孩子到底是谁,才能让孩子最大限度地发挥自己的优势。

唐纳德·克里夫顿博士说,大凡成功者都通晓自己的优势,一般普通人则不然。在现实生活中,他们很难把握自己的优势是属于小兔子型的、小鸭子型的,还是小松鼠型的。

当看到别人的父母在让孩子做某件事时，有些父母心里总有一种痒痒的召唤感——"我也得让自己孩子这样做"。你的孩子不是别人的孩子，别人的孩子能做到的事情你孩子未必做得好；你的孩子的优势别人的孩子也不见得具备。这就要求细心的父母留心观察，当自己的孩子完成某件事时，他心里是否会有一种愉快的欣慰感——"我还可以把这件事做得更佳"；当他在做某类事情时几乎是自发的，无师自通地就能将其拿下；当他在做某类事情时不是一步一步，而是行云流水般的一气呵成……这些都是最重要的信号，它诠释了孩子的优势所在。

小兔子根本不是学游泳的料，自己的孩子不具备弹钢琴的天赋，即使再刻苦它也不会成为游泳能手和钢琴家。

我从不拿自己的女儿与别人的孩子比，更不会跟风随潮，唯一做到的就是告诉她"你是最棒的"，让女儿扬长避短，做自己最喜欢并最擅长做的事情。正如一位哲人说过的："我希望拥有三种智慧：第一，努力做好自己能够改变的事情；第二，接受自己不能改变的事情，不要为自己不能改变的事情烦恼；第三，拥有辨别这两种事情的智慧。"

如果我们改掉习惯于用别人作为自己的参照物来确定孩子价值的习惯，靠自己来评判对孩子的认定，就很容易寻找到自己孩子的最佳发展点。

孩子的评语：

妈妈没有想过一定要把我塑造成某种类型，而是希望我最大限度地发挥自己。聪明的妈妈从不拿我与任何人比较，因为她知道如果当着别的孩子的面说我好于他人，有人会不高兴；如果当着我的面说我不如他人，而难过的肯定会是我。她知道小孩的内心感受，心灵、健康、人格、情感才是最重要的。

■ 54. 让孩子有说话的份儿

"开会了，开会了。"

女儿表现出莫名其妙的样子，"开会是什么？"她小声地问。

"就是咱们一起商量家里的事儿。"我拉着她说。

因为可以了解一个自己一无所知的事情，自己又可以参加，女儿自然显得很高兴。后来女儿也学会了一有事儿，就主动成了家庭会议的召集人。

"开会了，开会了。"

"妈妈，我觉得你们这样做不对。"

"爸爸，我觉得这件事这么处理才好。"

"这样才能更节省咱们家的开支。"

女儿自从有了自主意识，我会把我正想做的事情、准备要做的事情，凡是涉及家里的大事小情或和她有关事情的决定，都会邀请女儿参与共同解决。小到家庭日常的经济开支，大到购买大件商品，以及她选择小学、小升初、初升高及大学的选择，我们都会坐到一起，听听女儿的意见。

"这件事我遇到了点麻烦，你能不能帮我想个办法？"我把女儿看做是自己可靠的朋友。

这时候你会发现女儿表现出异常的兴奋，她觉得妈妈需要她，她也有能力帮妈妈忙。其实孩子在家庭中不仅需要我们的爱，同时他们也渴望有能力付出自己的爱。给家人出主意，让她觉得自己是家中不可或缺的，这样家人的关系才会互动，才有平等。

比如：我想去学开车，结果女儿和老爸的意见是：坚决不同意，理由是因为我的眼睛不好（高度近视）。最后的决议是：要想开车，就别进家门（他们知道这是唯一能阻止我的措施）。只好罢休。

我们在这个家已经住了和她的年龄相当的年数了，我想装修一下，征求女儿的意见。她说：家里这么多书，不像光搬家具那么容易，整理起来太麻烦了。只要干净、整齐就行了，谁也不会认为你们家没装修就看不起你。这样省得您麻烦，来客也麻烦。还是免了吧。只好顺从。

女儿在外地，我给她发短信：今天是父亲节，送老爸什么？她回信说：先用我的稿费给老爸买一套书吧，替我祝福一下。只有照办。

她购置的电脑，从方正到戴尔，再到G5的高清，只要她能提出正当的理由，需要什么型号的，什么样配置的都由她自己做主。只管掏钱。

家里来了客人聊天，只要她有兴趣的话题都让她参与，给她创造一个了解成人的机会。允许插嘴。

我们家，不分年龄，不论大小，只要谁说得对就听谁的。通常我更愿意听取女儿的意见和建议，因为他们是新生代，思想活跃、反应机敏、感受力强，接受新东西快。

我愿意家是一个充满和谐的家，我希望和女儿的关系建立在民主、平等的基础上，让她从小就体会到自己有被尊重的感受。别小看这些，这对孩子自尊心、自信心和上进心的增强有着不可低估的作用，他们会在心理上更快地成熟起来。如果我们总以年龄比孩子大、经历比孩子长、经验比孩子多自居，剥夺孩子的话语权，使他们得不到应有的尊重，享受不到学习以外其他能够给他们带来属于他们的生活，在家里都没有他们说话的份儿，他们就无法渴求真正意义上的平等。

孩子的评语：

我从小就特别有把自己当大人看待的愿望。如果能帮助我们建立一个适合我们表露情感的环境，我们才有可能借助这样的环境进行自身价值的转化。

试想，我们在一个从没有发表自己观点的环境和一个从不让我们有自己见解的父母面前，当我们长大了，习惯了"听话"，与世无争、任人摆布，那时何谈勇气、自信心，正义感也就更值得怀疑了。

■55. 生活充满否定,孩子将会怎样

女儿还小时,我也曾摆出过一副家长的样子,希望孩子生活在我们为她所设想安排的状态里。时常限制女儿"不许这个,不准那个",有时也冒出几句横挑鼻子竖挑眼的话。后来我发现女儿非常反感。想一想自己小时候不也是在否定中长大的吗? 那时的我还没等大人把话说完,嘴就已噘得老高,头恨不得扭到180°。道理很简单,我和女儿都不愿意听到不顺耳的声音,更不希望受到别人过多指责。后来看到美国著名成人教育家戴尔·卡耐基曾经写给儿子这样的一段话,我很有感触。

儿子,我对你太横庚了。当你穿衣服上学时,我责骂你,因为你没洗脸,只是用毛巾随便擦了一下。为了你没有把鞋子擦干净,我又斥责你。当你把东西随便扔在地上,我又生气地呵斥你。

吃早饭时,我又挑你的毛病。你把东西洒在桌上,你吃东西狼吞虎咽,你把手肘放在桌子上,你的面包涂了太厚的黄油。当你去玩,我去赶火车的时候,你转过身来,摆着你的手说:"爸爸,再见!"而我却皱起眉头来回答说:"挺起胸来,两肩向后张!"然后,下午又是如此。当我走回来,看到你跪在地上玩弹时,长裤子破了好几个洞。我押着你走在我前面,和我一起回家,使你在朋友面前丢脸。裤子很贵的——如果你自己花钱去买,你就会小心了!儿子,你想,这竟是做父亲的所说的话!你还记不记得,过后当我在书房里阅文件,你走进来的样子怯怯缩缩的,眼中带着委屈。我抬头看到你,对于你的干扰,觉得非常的不耐烦,而你在门口犹豫着。"你要干什么?"我大声责问着。

你什么也没说,只是很快地跑了过来,抱着我的脖子,亲了我一下,而你的小胳膊,带着藏在你心中所给予的热情,紧紧地搂着我,而这种热情,即使没有受到注意,也不会枯萎。然后你就走开了,噔噔噔地上楼去了。

儿子,就在你走开之后,我手中的文件掉了下去,全身浸在一种非常难

过的恐惧中，我怎么被这种习惯弄成这样子？那种挑毛病和申斥你的习惯——竟然当你还是一个小男孩的时候，我给你的期望太高了。我是以我的这种年龄的尺度来衡量你。当你疲倦地蜷缩在你的小床里，我看出你还是一个小婴儿，就好像昨天还在母亲的臂弯里。我对你的要求真是太过分了、太过分了！

这个儿子是幸运的，这位教育家也让许多孩子免遭不幸。知心姐姐卢勤说：作为父母，如果一味地对孩子表示不满，评头论足、求全责备，那么你会痛心地发现，你给孩子带来的是负面的信息。如果你一直告诉孩子某一方面不行，那么久而久之他就真的会认为自己不行。其实，孩子更愿意看到的是父母能够看到他们的优点而不是总计较他们的缺点，有调查表明：对于孩子，被认可、求得正确评价的心理需求胜过金钱和娱乐的渴望。这种渴望不能不看出父母对孩子的正确认识和评价与孩子存在着较大的差距。

当一个孩子总是挨批时，他天生就有保护自己的本能，他的大脑很快就形成一个防护网，只要一看见这个经常批评他的人，孩子的全身细胞就会马上紧张起来，进入战备状态，这个人讲的每一句话他都会从负面去理解，他首先筛选可能的敌意，再是想想这话的用意，然后心中知道怎么做并不代表一定会快乐地去做这件事。

看似平日不以为然的说话方式会导致不同的后果。我们常常对越是亲密的人讲话越是不顾忌，忽略了孩子也有被尊重的需要。父母要学会尊重他们。说话时要避免使用否定句，这可是考验你语文功底的时候了。因为，我们对孩子说出的每一句话都在向孩子传达着一种信息。

无论你有心还是无意，真正的家教就在你与孩子相处的日子里进行着，我们是通过语言连接着和孩子的感情，但我们也时常由于语言的不当破坏着我们之间的情感。因此多一些积极正面的语言，少一些否定负面的语言，与孩子保持良好的关系，对话的大门才会永远向你敞开着。

孩子的评语：

没有谁喜欢在否定中生活,更没有谁愿意接受这种否定。否定的语言只能让我们逆反,温和的语言才更令我们改正。你们对我们越不是怒颜厉色,我们才越顾忌不愿有所越轨而使你们不快。

拳脚相加、恶语相向不怕将来把我们又复制成了你们吗?关注我们一点一滴的进步吧,别总看着我们的一言一行别扭。想想你愿意你的老板怎样对你,就知道我们愿意你们怎样待我们了。

■ 56. 孩子需要妈妈,也离不开爸爸

幸福的家庭家家相似,不幸福的家庭各有不同。父母离婚是孩子在生活中绝对不想看到的场景。婚姻的幸福是两人的事,婚姻的失败也是两人的事,在这一点上,不是双赢就是两败俱伤,如果两人分开,最可怜的算是孩子了。

一次女儿回来,心情很沉重。

"遇到了什么事情让你这么不开心? 我能帮帮你吗? "我小心地问。

"妈妈,你们不会离婚吧? "这突如其来的一问,一下子把我给问住了。

"妈妈有你这么个好女儿怎么会离婚呀?是什么让你想起问这个问题?"我不解地问。

"我们班又有一个同学的爸妈离婚了,晓艳的爸妈也要离了。"女儿两只泪汪汪的大眼睛看着我。

"晓艳是你最好的朋友，我知道你一定为她难过。"我安慰道。

"为什么大人要离婚呀？为什么没有人管管他们？"女儿不平地说。

"一定是他们之间产生了矛盾，实在过不下去，才决定分手的。"我解释说。

"那她就没有爸爸或者没有妈妈了吧，晓艳多可怜呀。"女儿还是为朋友担心着。

"不用担心，离了婚的父母也会爱他们的孩子。"我告诉她。

"那不行！我要爸爸，也要妈妈，反正你们不能当着我的面离婚。"她眼神中的坚定已经多过了黯然。

"晓艳现在怎么样了？"我问。

"她每天眼睛都红红的，还说不想上学了，她的心里话只有对我说。"女儿依然为朋友伤心着。

"是啊，孩子遇到这样的伤痛不是孩子的错，我也为你的朋友难过。"我摸着女儿的头说。

"可我怎么才能帮帮她呢？"女儿突然问道。

"晓艳的父母不也很喜欢你吗？你和晓艳商量商量，让她分别和她的爸爸妈妈说说，说出自己不想让妈妈爸爸离婚的理由，告诉她光哭是没有用的，你和她一起想想说服她爸妈的办法吧。"女儿听完我的话，飞快地跑出了家门。

后来，不知是两个孩子起的作用，还是父母唤醒了的良知，一家人又好好过日子了。一个孩子幸福不幸福，快乐不快乐，很大程度上取决于父母之间的关系，他们甚至可以不要鲜亮的外衣、高档的玩具、豪华的公寓，要的就是一家三口在一起。的确，一个家庭，母亲宽容体贴的义务感加上父亲果敢进取的责任感，孩子才能获得相对完整的人格。

人们常问："结婚到底好不好？"苏格拉底很早就回答过相同的问题："结不结婚，你都会后悔。"是的，结不结婚、要不要孩子，你可能都会后悔，因为没有谁会事先向你表明，组织家庭就一定能为你带来美满。而恰恰只有你自己才能向自己证明：我有能力创造一个祥和与温馨的家。

清代诗人纳兰性德诗中有这样的句子，"人生若只如初见，何事西风悲画扇？"道出了人生的感慨，也说出了人际关系的诸多无奈。同时显示出诗人的一种境界，对待自己爱的人总能像初恋一样看待对方，有缘相聚，珍爱感情。

我常想起一位日本著名的法师，一次他为了医院的事，前去拜访一位董事。那位董事端出一杯茶招待法师。突然董事发现杯子有缺口，于是很不好意思地说："师父，很抱歉，这杯子缺了一角……"法师回答："缺角的地方不去看它，整个杯子就是圆的。每个人都有缺点，若不去计较缺点，则每个人都是很好的人。"常人如此，更何况是我们曾经彼此相爱的人呢。

孩子的评语：

大人们回家千万别像住旅馆一样，有的来了暂住下了，有的只当是栖息地，有的离开了就离开了，还有的干脆忘记了。回头看一看吧，在这个家中还有一个弱小的身躯，一双企盼的眼睛一直期待着你。我们想要的家不必是多大的豪宅，也不需要有多奢华，但一定是温馨和谐的。在我看来，生活中重要的不是拥有的物质，而是陪伴在我身边的人。

57. 爱得越深，伤害越大

"世上只有妈妈好，有妈的孩子像块宝……"这是每个孩子小时候都爱唱的歌。孩子小的时候如果问他爸爸妈妈谁好，大多数的孩子会不假思索地选择妈妈。孩子再大一点儿问同样的问题，他会哪个都不得罪地说两个都好。随着孩子渐渐长大，我们对他们的期望值越来越高，随之管教越来越严时，再让孩子从内心说你好就不那么容易了。这时他们不再向你说自己的心里话，开始把一部分真实留在内心最深处。别说让孩子说喜欢你了，也许你早变成了他最讨厌的人。这是我在一次乘坐的公交车上听到的。

"这世上，你猜我最烦的人是谁？"坐在我后面的A女孩问B女孩。

"谁呀？"

"我妈呗！"我用余光向后面看了一下，A女孩一脸的不高兴接着说："我们家就像看守所，我跟犯人没什么两样：翻我的日记，偷听我的电话，看我的E-mail，整天逼着我学呀，学呀，跟她说点儿别的，她都嫌浪费时间，一说什么就说快去学习去！我在家真是一分钟都懒得待了。"

"天下乌鸦一般黑，你以为我妈就不是了？同学来电话，偷听。约个同学见面，跟踪。我真恨她为什么把我带到这个世上，一点儿自由都没有。"

"你以为呢，我回家晚一点儿不行，交朋友不行，我妈说了，除了学习其他什么事都免谈！考大学前别想谈朋友！真郁闷！"

"我还不是，到哪儿去？跟谁出去？出去多长时间？什么时候回来？我那次到西单去了一趟，一路上足足问了我7次在哪儿。我被她管得都喘不过气来了。烦死人了！有时真想掐死她，可谁让她又是我妈呢？"

"我妈简直控制了我的一切。问我认识的那男孩儿干什么的？父母是干什么的？家里不够级别不行，本人挣钱少不谈，是她找对象还是我谈朋友呀……"

"别的同学情人节可以花前月下与男朋友约会，我那天实在编不出理由骗我妈，只好抱着我心爱的小狗说送人，才逃出来一会儿和他见面。可我不舍得小狗离开我，它比我妈还强呢，善解人意，我带着狗回去后听尽了这个世界上最难听的字眼……"两个女孩不停地相互倾诉着。

回到家我把车上女孩的对话讲给女儿，我问："你烦老妈吗？"

女儿马上说："你根本就不管我，没有让我烦的机会呀。"

"在你面前还是少管为佳，不管为妙，这样我少操心，你还自由，是不是挺好的？"

"是呀,我有时和我们班同学说你平时的做法,他们还说要和我换老妈呢,有的说出300元,有的说出500元。"

"快起床呀!快点走,别迟到!路上多加小心!听老师的话,好好学习!"这是每天早上有的妈妈必发出的指令。

"今天在学校表现怎样?这次考试你排第几名?你怎么就赶不上×××呢?怎么总上网?"这是孩子放学回来时常遇到的不停追问。

也许你也是被烦人的母亲嚷着长大的,谁都知道,世上只有妈妈才会对儿女这样的苦口婆心,世上唯有妈妈对儿女才有这样无限的牵挂。然而,母亲的好心为什么得不到好报?不是孩子对我们的爱发生了变化,而是我们爱的方式没有顺应他们的需要。现在独生子女身上出现的很多问题,都是因为父母不该管的管得太多而造成的。

我觉得管孩子是让孩子明白道理,而不是车轱辘话来回说,唠叨成了家常便饭,孩子不烦你才怪呢。给孩子一些生活的权利,是孩子健康成长的先决条件,这样他们才不至于在你面前经常撒谎,生活上感到无助而变得压抑自己。我的做法是:安全上告诉孩子,生命是第一位的,安全意识不可放松;学习上让孩子懂得,学习是你自己的事,如果你认为学习是为谁学,为应付考试学,学习一定是痛苦的事;交友上让孩子独立判断交往对象,只有和优秀的人在一起,你才可能变得优秀;在生活上让孩子明白,如果一个人不能独立生存,就是肢体健全的残疾人。

1997年日本某科研所曾经对日本、美国、中国大陆的各一千多名高中学生进行了题为"你最尊敬的人是谁?"的问卷调查。日本学生的答案是:第一是父亲,第二是母亲。美国学生的答案是:第一是父亲,第二是球星,第三是母亲。而在中国大陆的学生答案里,什么比尔·盖茨、拿破仑、秦始皇、孙悟空、乔丹等等的人物都排在了前面,父亲、母亲连前十名都排不上。中国的妈妈对孩子的关爱可说是天下第一了。然而相当多的孩子却把自己的母亲列为最不喜欢的人。孩子为什么烦我们,想想我们的做法,是不是确有烦人之处?

孩子的评语：

父母所做的一切都是为孩子好，这是谁也不会怀疑的事实。但是，如果一种爱让被爱的人感觉是一种厌，那不是爱的力量不够，而是爱的手段和方式不佳。你们爱得越深，也许给我们的伤害越大。尽管你们不惜一切代价地不愿让自己唯一的孩子吃苦，并时刻准备着随时出来保护我们，但在这种"好心"下我们没有了属于自己的空间，放开手吧，让我们自己成长！也许改变一个方式，你就会变烦人的妈妈为可爱的妈妈。

■ 58. 情感需求高于物质需求

一次，我走进一家夫妇开的服装小店，两位店主人正为给孩子上保险争论着。妻子说："大病医疗教育险都买了，我觉得再给儿子买一个终身寿险，准备一套房子，将来咱们就没后顾之忧了。"

丈夫说："我觉得孩子还小，没必要考虑那么远。"

我在那儿挑选着衣服，更愿意听他们的话题。女主人走过来说："您随便看看，看看有没有您感兴趣的可以试试。""好啊，我不光对你家的衣服感兴趣，对你们刚才争论的话题也挺感兴趣的。"

"是啊，让大姐说说看，您经验丰富，我们家的非要给孩子什么险都要上，您说有这个必要吗？"丈夫说。

我笑了笑："这就是可怜天下父母心啊，你要让我说我想先问一下，你自己上了什么险？"

"没有，挣这点钱都上怎么行。"女主人脸上露出了无奈。

"她自己舍不得给自己上，给孩子可什么都上。"丈夫抢过话题。

"儿子现在多大了？"我又问。

女主人答："9岁了。"

"我举一个例子，我原来单位有一个女同事，她给自己一对双胞胎孩子和丈夫都上了保险，唯独没有给自己上。她在家里家外真是一把好手，可没想到那么年轻就得了癌症，前不久去世了。如果她给自己上了保险，受益人肯定是孩子，可她没有做到这点。不是说给孩子上保险没有必要，我觉得，在你自己的养老金和医疗储备不足的情况下，为孩子的今后考虑那么周全确实没这个必要。"

"我们到城里打拼不就为了儿子吗？那您给孩子都上什么险了？"她又问。

我说："我就给她上个意外险和大病险。其他的等她自己长大了自己上。如果你现在就告诉孩子：妈妈给你已经买了好几份险，甚至你退休后的生活都有保障了。孩子自然就会躺在你为他搭建的财富保险箱里不思进取，反正我可以不劳动就可以享受一切了。"

"还是大姐说得对，孩子今后的路让他自己去闯。"丈夫的意见终于有人支持了。

"实际上，对孩子来说，他的保障并不是保险公司，而是有稳定收入的父母。对父母来说，财务风险上最大的保障来源不是孩子，而应该是保险公司。因此，许多专家都强调，即使上保险也要先紧着家长买。为孩子投保之前，家长应首先为自己投保，但可以把受益人填写为子女，就是这个道理。我们给孩子买的保险缴费期可以集中在孩子未成年之前，等孩子长大成人之后，他就会选择自己合适的险种为自己投保了。"我觉得自己像是个做保险的似的解释着。

我也在想，即便我有钱，也不会让孩子随便花，也要她自强、自立。美国很多有钱人都不把遗产传给自家子孙，而年轻人也对继承遗产不感兴趣，他们更崇尚白手起家，实现自己的"美国梦"。被誉为"股神"的美国著名投资家沃伦·巴菲特说："我希望我的三个孩子有足够的精力去干他们想干的事情，而不是有太多的钱什么都不做。"

当今社会，孩子对物质利益过分追求，对精神层面需求冷漠，社会责任感淡化，这与我们太注重孩子的学习和衣食住行的物质需要，而忽视了孩子的精神需求不无关系。对孩子，我们给予他们精神上的投资更应该远远高于物质的投资，如果我们只是一味满足孩子物质上的需求，对他们精神上的支持、鼓励与帮助甚少，那我们只能算是尽到了看护者的责任，而没有尽到教育者的责任。毕竟物质的阳光总是有限的，而心灵的阳光才更能让孩子不受时间、地点、气候的限制，永远灿烂。

孩子的评语：

家长物质的投资也许有的我们不太理解，有的可能赢来我们一时的欢心，但精神上的投资是我们能够感受到的。那些只顾忙工作、忙生计、忙应酬、忙玩乐的父母，更应当让我们随时感受到物质以外的亲情。

59. 女儿不愿意让我变老

暑期，社区组织学生活动，一位大妈通知女儿画一幅反映社区生活的画。

"妈妈，能帮我找到一个核桃皮吗？"女儿向着厅里喊道。

我不知女儿又想捣鼓什么,放下手中正在熨烫的衣服走进女儿的房间,原来她正在画画。只见她一边大胆地使用颜色,一边嘴里叨咕着,见我进来指着画问我。

"妈妈,我正在画老奶奶秧歌队,瞧,她们穿红戴绿跳得多带劲儿呀。"

"你画得真棒!看,你把她们那喜悦劲儿都画出来了。咦,那你要核桃皮做什么?"我有些纳闷儿地问。

"你觉得老奶奶的脸有点儿像什么?"女儿看着我问。

"书上经常形容像橘子皮,是吗?"我答道。

"不对,我觉得更像核桃皮,我想拿核桃皮沾上红色直接印在脸上就行了,因为她们化妆的脸就是红红的。"

我听后大笑:"你观察得真仔细,我这就帮你找。"

画画完了,女儿有些忧伤地问:"妈妈,老奶奶的脸为什么会变得这么皱?"

"你的问题真好!随着年龄的增长,人们的脸上会逐渐出现皱纹,年龄越大皱纹就会越多。妈妈老了也会是这样,你将来老了也会是这样,这是人正常的生理现象。"我对她解释道。

"那为什么不发明一种东西让她们不变老?"

"是啊,人类一直都在研究衰老的问题,随着岁月的流逝,年龄总会刻在人们的脸上,这是不可抗拒的自然规律。"我边熨着衣服边说着。

"等我长大了一定发明一种东西让妈妈不变老。唉,妈妈,您刚才那件衣服不也是皱皱的吗?用熨斗一熨就平整了。那人的脸为什么不可以用这种方法?"

我不知如何回答,更不知道下一个问题将又是什么,只好说:"等你长大了,学到更多的知识,让妈妈变年轻不是不可能的。"

"妈妈,什么是衰老?"

我对着镜子指着眼角说:"你看妈妈眼角细小的皱纹。"我又撩起了头发:"看黑发中夹杂的几根白发,这就是人慢慢衰老的过程。"

"那怎么才能不衰老呢?"我看到女儿有一丝忧伤。

"你把你自己该做的事情做好，不用妈妈操心，妈妈就不会显老的。"

女儿轻轻摸摸我的脸："妈妈，我不愿意让您变老。"

十几年过去了，女儿一直很在意我的变化，可能是她不愿意让我老得太快吧。她一直都在努力做好自己的事情，从不让我为她操心。有时候，反倒是为我们操心。

有一天，她像往常一样很习惯地看着我的脸，凑近了说："我真服了你了，岁月怎么不愿意在你的脸上留下痕迹？"

"那还不得感谢你不让老妈操心的结果呀。"我摇头摆尾地走着猫步，摆了一个姿势突然定住："不过，你可要记住：人不嫌母丑，狗不嫌家贫呀。"

哈哈……

孩子的评语：

虽然我无法阻止人的衰老过程，但是我至少做到了没有加快老妈的衰老进程。只要我们多一分体谅，母亲就会为我们少一分担忧；只要我们多一分责任，母亲就会为我们少一分忧愁。要想老妈不老，自己先成熟起来。

60. 母亲——一个多变的角色

很多人认为父母在孩子面前要有尊严，因此必须做出一副大人的样子。女儿从小到大似乎没有感觉到我这个妈应有的尊严，和她在一起，我努力让自己没必要把太多成人的东西带到她的世界里，就如同手中的遥控器从一个频道切换到另一个频道，妈妈这个称呼同样可以从一个角色转换成另一个角色。电视的乐趣在于切换自由，妈妈的扮演在于收放自如。

"趴下，咱们玩儿骑大马。"我经常扮演一匹不驯服的马，驮着女儿时而狂奔，时而嘶叫，有时，女儿怎么拍马屁我也赖着不动，过一会儿，大马突然站了起来，女儿赶紧拉紧缰绳。"这回该你当大马了。"我假装虚骑在女儿身上，让她也感受一下承载重物的快乐，高兴的是，每一次我俩总得玩个人仰马翻才收场。

"坐下，听我给你们讲课。"我会立即放下自己手中的事儿遵命，时不时还装傻充愣地问出些假装不懂的问题。我经常把自己变得傻一点儿，再傻一点儿，常常替自己留一点儿"痴心"，刻意做出一些看起来笨笨的事情，因为学了一天的女儿，肯定不乐意看到你比她学校的老师还明白，更不愿意继续听你字正腔圆的教诲。

"今天的雪真大，咱们出去踏雪吧。"一路和女儿用雪球打成一片，甚至和她一起胡说八道。在这样恶劣的天气下人才更能释放内心，反正雪过天晴又会恢复正常。

前些日子我和几个同事走在路上，一个穿校服埋着头骑自行车的人，从我们几个身后叫了一声我的名字，也没有下车就飞快地往前骑了。

同事问："这是谁呀？"

"我女儿呀。"我说。

"怎么叫你的名字还不说，连下都不下来，要是我妈早把我揪下来了。"同事都用异样的目光看着我。

"我在我妈面前也得毕恭毕敬的，不敢这样。"另一个同事也说。

"没事儿，直呼其名挺好的。"我表示不以为然，心想：我们既然是朋友，还在乎她叫我什么。

那天，学校的造型课剩了一些黏土，她说："给你玩儿吧。"

我刚刚看了一个非洲展，对那里的东西很感兴趣，于是做了一个非洲人的头像。满怀欣喜地捧着想放在柜子上等女儿回来给她看我的作品，结果开抽屉一震，头像从柜子上掉了下来，把我心疼的呀。我从地上拿起这堆泥一看，又高兴得惊呼起来，连忙招呼丈夫过来看："你看这像什么？""看不出来像什么。""你怎么一点儿艺术细胞都没有，咳，还是等着女儿回来欣赏吧。"我盼着女儿回来，等待她的鉴赏："看看你给我留的作业，能看得出像什么吗？""一个士兵在沉思？""没错，就是一个士兵，伊拉克士兵，你看，他的鼻子都气歪了。""不错不错，比我做得好。"女儿的赞美我打心眼儿里美。

我感觉在家里我说不清到底算个什么——女儿要钱时暂时算个妈，有时她经常把我改叫了动物名儿，更多的时候我像个她的同班同学，有时弄不好只配做她的妹妹。不管怎么样，改变的是我的角色，不变的是我对女儿的爱心。

心理学家早就说过：改变一个人的思维模式的最迅速的方法是改变他的角色。一旦我们的角色由你所在的公司的老板、学校的老师或者家中的父母变成一个"孩子"，你就会发现，我们看世界的方式和心境也就会随之发生变化。

我不希望家庭气氛像有的孩子描述的那样紧张、压抑，甚至是恐怖。我希望和孩子之间的关系是平等的、民主的、自由自在的。那么，有时你要心甘情愿地把你的高度降到孩子以下，甚至有些事让他感觉你一定要依赖他，孩子就成长得特别快。要努力使自己学会完成从传统角色向更适合孩子心理需求的各种角色的转变，而要游刃有余地进行各种角色的切换，重要的是需要更多的交流、宽容、谅解、适应。

父母要肯将自己从主持人变成孩子的听众，倾听他们的心声；将自己从指挥者变成孩子的玩伴，让他们自由地表达；将自己从家长变成孩子的学生，不忽视他们的存在；将自己从说教者变成孩子的朋友，构建一个平等交流的平台。在孩子面前你是什么不重要，你能做好孩子的什么才是重要的。

孩子的评语：

我们希望的父母既是我们尊重的长者，又是我们可亲可近的朋友。妈妈与我之间从来就没有说教痕迹的交流，也没有心理距离很远的不平等对话。我现在才明白，妈妈充当的各种角色,实际上和我玩的是一场教育者与被教育者的互动游戏。不同的是,在这个家,角色是可以互换的。如果选择妈妈,下辈子我还会选择你。

61. 了解智商加减法

一直以来,我总认为自己的智商是在中等偏下,自然女儿的智商也高不到哪儿去。不是说了吗?人的智商取决于先天因素。姥姥就在儿科研究所住,说哪天让女儿测测智商,我想孩子不傻,测了会怎么样,测高了不太可能,如果说你孩子智商低,这会给她和我都埋下阴影。还是不测的好。

真是,没多少人说过我智商高,倒是所有和女儿共过事的人,没有人说她智商不高的。最近偶得一篇"智商加减法"的文章,也趁此偷偷测测自己的智商到底有多高,结果按照这个测法,我还超过了100,这是我没有想到的。于是,我可以在家人面前炫耀了,"别以为我智商低,你们老欺负我,看看这个"。女儿马上说:"谁也没有认为你智商低呀!您要是真低,我的智商是不是也要值得怀疑了。"

一直以来,人们认为的智商和先天因素有关。然而现在科学界已普遍认为,人的智商既取决于基因,也取决于"环境"因素。既然如此,想成为智商高的人不是不可能,不妨和你的孩子也测测吧。

智商是用来衡量一个人聪明程度的参数。如果按科学家定的平均智商

100为基数,按以下顺序进行智商加减,就可以知道自己从父母那里继承来的一些因素以及后天的生活习惯给了自己怎样的智商。

如果你的母亲在怀孕期间曾经抽烟、喝酒、喝咖啡	−5分
怀孕期间大量服药	−10分
怀孕期间大吃大喝,未保持平衡饮食	−6分
吸毒	−10分
怀孕期间情绪紧张	−10分
早产	−20分
顺产,但体重不足2.5公斤	−3分
非母乳喂养	−5分
你是个爱哭的孩子	−9分
在贫困和边缘化环境中长大	−14分
体内缺乏维生素和矿物质	−17分
与小朋友关系不融洽	−5分
从小贪吃,如可口可乐一类的饮料	−5分
从不参加校外活动	−6分
从小爱好阅读	+5分
参加音乐辅导课	+3分
睡眠不足,而且没有午休习惯	−5分
睡觉打鼾,呼吸较重	−5分
父母对你关怀备至	+7分
感觉在家中、学校中都是排斥对象	−15分
辍学	−6分
你是被动吸烟者	−4分
热衷手机短信	−10分
你是主动吸烟者	−10分
每周三次体育活动	+15分
经常情绪不好,焦虑,抑郁	−8分

善于思考	+10分
经常接触有毒物质	-9分
适当饮酒	+3分

如果你的智商分值低于89分,证明生活习惯已经影响到你的智商,如果低于69分,则说明这种影响已经非常严重了。

看来智商没有想象得那么神秘,我们改变不了我们不能改变的,但是我们可以把握住后者——也就是这里所说的"环境"因素,如果孩子在一个适合他们成长的环境里,后天的开发和培养得当,还怕你的孩子智商不高吗?

孩子的评语:

世界上多少伟大的父母把自己弱智的孩子都培养成了杰出的人物,他们相信自己孩子的智力优势是被某些表面现象所掩盖,暂时隐而不露。他们不离、不弃、不急、不躁,耐心地等待。比起他们,是不是每个母亲就该有信心了。

62. 先根深,后叶茂

早年我在农村插队,村头笔直的一条土路两旁矗立着整齐的树木。与其说喜欢上这郁郁葱葱的树木,倒不如说这是一条又可以踏上回家路途唯一的路。

生产队里的活儿我几乎干个遍。这天,妇女队长小勤说要栽树苗,我挺高兴的，因为我从小就喜欢大自然的颜色。后来，小勤和我把生产队淘汰下来的小树苗捡回来栽在了我住的房前。我还和小勤划分了责任区。

每天收工回来我总是精心地呵护我负责的小树苗，土有点儿干就给它马上浇水，我还为我的小树苗比她的长得快而自喜呢。一高兴时还常唱着"小树苗快长大，绿树叶新枝芽，阳光雨露滋育着你，快快长大快快长大。"

小勤见我动不动就给小树浇水就对我说："如果总是给树苗浇水，它就会习惯了土壤浅层的环境，而且总是等着轻易就可以得来的来自地面的浇灌水。别看我不常给它们浇灌，树苗看上去长得慢一点，但这样的树根能向土壤里寻找水分和养料。因此这些树的根会扎得很深，它们才更能抵御恶劣气候的侵袭。"

我才不听呢，依然我行我素。没过多久我回城了，并嘱咐小勤帮我照看小树。

一晃十几年过去了。一次出差路过我插队的地方，我想顺便看一看村里的变化，更想看一看我种的小树长成什么样了。路还是那条路，只是变成了柏油路。我来到了原来住过的地方，小勤和当年没有嫁到外村的几个伙伴早已等候在那里。

"这是我当年种的树的位置吗？"我问。

"看，你种树的地方在那儿呢。"她指着现在的鸡窝说。

"不会吧，我当年那么精心浇灌、细心呵护怎么连一棵树的影子都没了？"我伤心地自言自语。

"你忘了，我当时不就告诉你不用管它，你回城后不久的一场雨就把这些小树苗压弯了腰。本来我想帮你补栽上，房东说要盖鸡窝。"小勤安慰着我。"嗨，这些树不也是咱俩儿一块栽的吗？都算你的还不行。"

看到这奇妙的结果，我思绪万千，眼前呈现出我栽的树苗在大风中无力与狂风和严冬抗争的样子。再看看眼前小勤这几棵巍然屹立的大树，它们是那么的扎实，纹丝不动，坚强地抵御着寒风的侵袭。

看着眼前熟睡的女儿，我忽然联想到，养育孩子和我当年栽树苗不是一个道理吗？尽管我们不希望孩子遇到疾风暴雨，少受困难挫折的困扰，但是，他们将来肯定要面对许许多多的艰难险阻。我们只有让孩子带着自身足够粗、足够壮的"根"扎实地成长，让这些"根"能自己从最底的地方得到最好的养料，将来无论遇到多么恶劣的环境，他们才会我自岿然不动。

孩子的确是每个父母心中梦想的种子。目前，许多父母关心的是如何让这颗种子尽快地发芽、成长、开花、结果，却忽视了让孩子拥有足够的养分和能量才能让梦想的种子茁壮成长。他们愿意及早地看到孩子"枝繁叶茂"的假相，却不愿在培养孩子的根基上下工夫。就像有些孩子取得了足够高的学位，也获得了足够多的证书，但仍感到根基不深，难以接受市场经济大潮的洗礼。

每种树苗都是不同的，因此，也需要不同的培育方法。同时，小苗成材也是需要耐心的，我们应当遵循孩子成长的自然规律，给他们时间，等待他们成长，用他们自身的力量来与各种多变的环境抗争，这样，他们的生命之树才能根深叶茂。

孩子的评语：

树是根深叶茂还是摇摇欲坠，取决于栽树人是否尊重自然规律。培养孩子不要再犯"先叶茂，根不深"的错误了。

63. 应试教育与素质教育可以双赢

应试教育和素质教育始终是人们争论的焦点话题。对于家长来说，我们改变不了什么，能做的就是适应，既重视素质教育，又正视应试教育，在两者之间掌握好度，让孩子争取双赢。

一天我问女儿："现在实行素质教育，你们学校有什么改观呀？"

"减负好像没什么感觉。"女儿一脸的无奈。

"可是我上网查了，素质教育是以培养你们的创新精神和实践能力为重点，德智体美全面发展，就应该是这样。它更注重你们的综合能力，创造更具有适应力的一代新人，这可不是要求降低了，而是标准更高了呀。"

"德智体美全面发展，可是高考考的不还是'智'吗？顶多带个'体'"。

"我觉得，高考应当说还是最公平、最公正的。你想想不然无处不钻、无处不有的腐败现象也会把这块净土污染了，那不就更糟了吗？"

"所以说素质教育愿望是好的，实施起来没那么容易。"

"其实我觉得教育就不应该分什么应试教育、素质教育，应试教育也是素质教育的一部分，素质教育也不能没有应试呀，只不过应试教育是太偏重'智'了。那没关系，咱们争取把全面发展的那几项自己补上，好不好？"

"这意思是说在学校听老师的，在家听您的？"

"不管听谁的，但最终你要听自己的，追逐你自己的心。"

"那当然好了，是不是我会更自由了，我的自主空间就更大了？"

"没错，还是那句话，妈妈不要求你的成绩，学校里学的知识掌握了，考试过得去就行，用其他的时间全面发展自己，增长自己的才干。"

"那您说素质教育为什么在学校不好推进呢？"

"这可是一个很复杂的问题呀。先说学校吧，一个学校办得好坏直接影响它的生源，学校必须争取家长的认可，哪个家长不想让孩子上好学校？所以你看，高考成绩好的学校门口总是车水马龙的。再说老师，现在的教育评估制度让教师也不得不去跟你们要'分'。老师也是人呀，你们考得不好不仅关系到他们的面子，更主要的也和他们的职称、工资和奖金什么的有关。所以老师和你们一样辛苦，为了应付高考，一同被推向考海。遗憾的是，他们工作得越努力就离他们心中的教育越远。再说说家长，都是独生子女，只有一个孩子的家长们对自己孩子的管教都感到头疼，却把教育孩子的责任都推到要面对几十个学生的老师面前，孩子交给学校学不好都是老师的事了。孩子的分数在这些家长眼里，就是希望，就是寄托，就是孩子的命运。所以有的家长在学校的基础上还给孩子层层加码。话说回来了，这也不能全怪家长，社会的用人标准在那摆着，没有个大学文凭，就业真的很难。嗨！问题多多呀。"

"看来公说公有理，婆说婆有理，咱们只有自己管好自己了。"

"对，既然已经承认这样的现实不好改变，我们只有改变我们自己了。我觉得素质教育应该是更好地激发你的学习兴趣和主动性，真正的学习，应当是心灵（知、情、意）与行为的结合，知识只是一个层面，不能算主要的。妈妈希望你真正能学会学习，学会做人，学会做事，尽快掌握适应社会的各种本领。"

应试教育和素质教育这两股势力还在较量，这种较量也为我在孩子的教育上提供了乐趣。

孩子的评语：

妈妈从来不让我一味埋头苦读，而是把我的成长看得比成绩重要得多。从身边的人可以看出：应试教育下的"产物"常常是思想木讷，知识死板，体质羸弱，生活等靠；素质教育下的"产物"常常是思想积极活跃，知识融会贯通，身心健康向上，生活自强自立。

■64. 尊重个性，成就人才

家长的自身素质如何，对子女的成人成才起着重要的影响作用。我不敢说我完全具备一个母亲应该有的素质：良好的品德修养，较高的科学文化素质和一定的艺术修养，以及良好的心理素质等。但有一点不可否认，那就是我与女儿共有的特质：个性十足。作为母亲努力去挖掘孩子身上与众不同的、独特的东西，然后加以培养、放大并完善，尊重孩子、放手不放眼、培养孩子独立自主的意识和能力是我培养女儿的秘诀。

女儿即将结束初中学习，准备升入高中了，我想考察两所学校作为初升高的参考。首先来到了人大附中，我的目的不是看这个学校的硬件环境有多好，也没有问及该校今后进入最好大学的升学率，而最关心的是女儿在该校她的个性能否得到发展。一进校门我就看到了学校的办学理念有尊重个性这四个字，我乐了，再问问一位接待我的校方人士，确实能在尊重孩子上说出一二三，于是签下了协议。回来和女儿说了，女儿当即决定"我不去别的学校了，我要振兴海淀，就去人大附中"。

接下来让我思考的是：人大附中可以说是北京尖子生的聚集地，孩子来这所学校学习以及她今后三年的感受会是怎样？怎样做才能更有利于孩子的成长？到了这个高手如云、强手如林的学校，怎样才能凸显她的特质？要知道，女儿在初中时的学习成绩始终保持在年级第一、二名。我告诉自己必须先改变自己的心态，必须改变以往应试的策略。于是，我告诉女儿到了这样的学校，我们一定不要争那个没有意义的第几名了（其实在初中我也从没有要求她得第几名，考试成绩也从没有主动问过她，甚至家长会我都会征求她的意见有没有必要参加）。高中阶段妈妈希望你在各方面的能力上有所提升，我们的目标是：能力、能力、还是能力。我想，这才是我们最明智的选择。女儿答应了。

女儿在学习上没有受到过来自家庭的压力，从小到大我们没有让她学过任何学校以外的补习班，她的大量时间都用在了阅读中外名著和欣赏原版电影上了。现在，她听我说让她增长本领、增长才干，于是萌生了想做事情的想法。正赶上学校英语角组织各班演出舞台剧，追求完美的女儿不满足拿个现成的剧本应付一下，而是在学校这种开放的气氛下大胆尝试。她自编、自导、自演、自己剪辑了一部英语剧，克服各种困难带领班上的同学开始了

DV之路。正像她所说的,以后给她带来的闪耀的事,与其说是人大附中的环境造就了她,不如说是在"刺激"她前进。

能力的自我感知很容易随着成功的出现而被放大。小小的成功,给她带来的不仅是成功后的喜悦,更增强了她的自信。可是,她想要做自己想做的事情,还想参加社会的各种活动,偏偏与学校的课冲突又该怎么办?我给她的回答是:如果你认为今天你所做的事情比你所要上的课更有价值,如果你想参加的活动比你这堂课更能提供你所需要的能力,上不上课由你自己决定,你自己去说服老师。

接下来,令我没想到的是老师非但没有限制她,反而表示支持。高一的班主任朱京生老师更像一个大朋友,学生和他的沟通可以没有一点儿距离。一个学期下来,他根据女儿各方面的表现,还建议学校把她转入了超常教育实验班,可是女儿依然留恋她的老师、留恋她的班级。

到了高二,换了班级,换了老师,我想这回可能没那么幸运了吧。大家都在为高考"争分夺秒"着,女儿依然"我行我素"着。她班上同学形容她说,一会儿忽悠忽悠来了,一会儿又飘飘忽忽走了,真羡慕。家长会上我想我肯定躲不过老师批了,没想到班主任赵秋盛老师和我单独谈话时笑嘻嘻地对我说:"你的孩子是能力型的,她各科成绩也不错,但她的学习还有很大潜力。"听了这句话我可真高兴,这不正是我想要的吗?我向老师保证,女儿会做到学习、兴趣两不误。转身又和年级组长、女儿的数学老师刘甦交谈,她也肯定了女儿的表现。但在谈话中我流露出一丝不安,我说:"不求别的,只求学校能把孩子这种创造型思维的灵感保护好,不要伤害她就行了。"刘甦老师说:我们就是这么做的,你放心吧。也许是女儿的数学成绩还不错,这回我真的放心了。

再看看高三,没有什么能让高考前的学生、家长、老师的神经绷得更紧了。女儿却轻松应对,依然穿梭于校内和校外。她分配好时间复习着,做着自己想做的事情。高考前几天还参加了北京2005全球财富论坛的活动。她的轻松也是因为她自己决定放弃进入北大的机会,选择好了适合自己的学校,学自己心仪的专业。高考前,没有哪个学生像她这样放松,也没有多少家长像我这么轻松。

不能不提的还有，女儿高三的英语老师，虽然我叫不上他的名字，他的英语课女儿也没上过几节，但是，老师对学生表示出的信任、宽容丝毫没有降低他在学生心目中的地位，反倒让我们更增加了几分对他的敬意。结果女儿的英语高考分数和全市第一名只差1分。

在对待女儿学习的过程中，不难看出，压则双败，放则双赢。也就是说，你非要把有这样天赋的孩子按在教室里苦读，他不但学不进去，反而个性得不到张扬，其结果未必是你想要的；然而，像这样的学生，老师只需给他们一些指导性意见，放开他们的手脚，结果他们反倒是学习、兴趣两不误。这难道不是老师、家长想看到的结果吗？

我很欣赏刘彭芝校长在"各类人才成长规律及培养问题研究动员大会"上的一句话，她说："我们的老师不能只顾一年又一年、一批又一批送走学生，要研究每个学生的特质。无论是成功的还是失败的。"的确，做得好的孩子背后一定有他好的理由；做得稍差的孩子也一定是受到他身旁不尽如人意教育的影响。老师可以迎来一拨儿又一拨儿的学生从而改进自己的教学，而我们独生子女的家长却不允许我们有改正的机会。因此，我还注意到了，刘校长提出的要研究孩子、研究老师、研究家长，整合优质资源服务社会，的确很有必要。

因材施教才能体现出素质教育，对每个学生的特长、特质、性情有所了解，对不同的学生施以不同的个性化教育，这让我看到人大附中有着接纳各种有潜质、有个性学生的慧眼和胸襟。

当然，我们还做不到美国未来教育的发展趋势重视个体化学习提出的口号：每一个学生都有一套自己的课程。但在人大附中至少可以看到他们尊重每一个学生的智力、兴趣、性格以及个性，重视学生与学生之间的差异，不否认、不忽视，而是面对面地因材施教。

我很赞成国际21世纪教育委员会向联合国教科文组织提交的报告中指出的，一个能得到较好发展的人，不只是要"学会认知"，还要"学会做事"、"学会共处"、"学会生存"，这样的人才是人格健全的人， 这样的孩子才能变成完全独立于父母的有个性的生命体。

现在的社会总是在抱怨学生的能力怎么那么差，的确，他们学的知识足够多了，学位也足够高了，面对社会他们反而没有自信了。这不能不让我们反思一下我们的教育，除了让他们学习书本知识以外还给了他们什么？我们到底给学生提供多少适合他们成才的环境？我不是说学习书本知识不重要，但我认为，把书本知识通过实践变成能力更为重要，正像华盛顿所说：读书而不能运用，则所读的书等于废纸。我们说的素质教育和应试教育，其结果，无疑是来自教育者的价值取向。如果学生学习只是以升学为目的，就更偏爱应试教育；如果想让孩子成为一个真正独立的、有用的人，就会更青睐素质教育，我属于后一种。尽早地把那些无用功用在孩子各方面素质和能力的培养上，从这里走出去的孩子还需用拿着文凭、证书找工作吗？当能力能证明一切的时候，我不知道文凭的含金量到底还有多重？

我真不知道作为一个母亲赋予孩子躯体之外，还有什么比让他们自己主宰自己更重要的了。我还得真的感谢人大附中，他们能在孩子高中阶段人见人怕的指挥棒下，还可以提供为他们成长所必要的宽松环境。因此，我也很欣慰地看到女儿通过自己的努力确实学到了本领，增长了才干，那就看看她已经凸显的一些能力，我相信她还有很多潜在的能力没有被人们发现：

独立自主的学习能力：除了学好每学期的十几本教科书外，每月她都要买上几本自己想研究的书籍自学，她博览群书，知识面宽广，从系统的中外名著直至后现代派艺术理论。她文科与理科并重，逻辑思维与形象思维兼擅，力求全面发展。因为没有哪个能力比孩子掌握自主学习的能力更重要了。

沟通与交流能力：她非常愿意与有思想的人进行交流沟通，在很多学生还不知道如何与别人交往的时候，她已经可以在几分钟内与中外人士打得火热。不需要考虑她的年龄，她可以很成熟、很自信地与中外人士进行她擅长的中西方文化艺术上的交流。

组织协调能力：这次在他们学校举行的2006中国北京国际大学生动画节前，院长点名让她负责外宾的接待及其他工作。她很快就拿出了具体方案,整个过程是她宣传中国文化的极好机会,她自己拟订方案带外宾游览有代表性的景区和有代表性的文化场所。用她的话说,我的想法甚至都能影响到评委的评判。这些外国评委临行前对校方说:没想到你们学校还有这么国际化的人才。

信息获取的能力:知识不是完全通过教师讲授得到的,她可以从不同的载体获得不同的信息并对信息进行鉴别和选择,使自己成为信息加工的主体,通过自主寻找学习材料,了解更多知识,从而发现更多值得思考的内容。因为人的创新思维离不开信息源的指引,创新能力的提高与信息能力的提高也是成正比的。

演讲能力:在北京2005全球财富论坛上用英语流利地回答外国记者的提问。在《青春一族》作为封面的她参加新闻发布会上演讲,当她看到有外国朋友在座,就灵机一动改用双语演讲,外国朋友非常高兴。在泰德公司组织的新托福培训中,她在用英文给前来参加培训的各地大学生的3小时课程上的表现,赢得了学生及外教的一致赞许。

整合创新能力:中国戏剧大导演林兆华应2006挪威易卜生年活动邀请而导演的新戏,请她做一个5分钟的宣传片。她可以在很短的时间里,领会导演的意图,再加上自己的东西,将拍摄到的素材进行过滤、筛选、整合,做成一个短片,反映出了她的综合能力,难怪林大导演评价她说:真是不可思议。此后,她又为林老师制作了一个多小时的纪录长片。

在2005北京全球财富论坛开幕的头一天晚上,时代华纳公司CEO邀请十位人士与他共进晚餐,女儿被安排在他的身边,一直聊到深夜。他对女儿说:世界上有三种人,一种是穿制服的、一种是创造型的、一种是剩下的所有人。我是属于第一种人,你是属于第二种人。女儿马上补充了一句,您是能把三种人聚集在一起的人。后来,女儿为陆川导演工作,料理各方面事物一年多,更是让导演时常忘记年龄,"把19岁的姑娘当30岁的男人用"。

今天,各个领域都在发生日新月异的变化,如果教育上固守多少年来沿袭的做法,就适应不了适合人才成长的种种要求,也不能适应学生高能力获取的要求。重视各类个性突出、特长突出、能力突出的人,才更能保证学校培养的学生今后在社会中成为杰出人才。

孩子的评语：

尊重个性，就是尊重每个孩子的客观实际，使每个孩子都能够得到最优化发展。这让我想起初到人大附中时看到墙上的显赫烫金字："尊重个性，挖掘潜力，一切为了学生的发展，一切为了祖国的腾飞。"这的确不是一句空话。

■ 65. 有"野心"不是坏事情

一直以来，"野心"在多数情况下都是个贬义词。女儿在介绍自己的时候经常会说："我是一个有野心的女孩。"

一次我问女儿："你说，野心这玩意儿和什么有关系？是遗传、家庭、社会，还是什么？"

女儿回答说："我觉得不光和你说的有点儿关系，更重要的是与周围接触的人有关。比如，你净接触些无所事事的人，当你有好的想法时，那些人还以为你是痴人做梦呢。我就愿意千方百计地遇见一些有'野心'的人，这样更能促使我进步。"

我对女儿的"野心"经常赞赏有加："说真的，你比我强多了，我小的时候一听到老师说你们是祖国的花朵，我的心里总有一股热血奔腾的感觉，经常冒出长大要为祖国作出一番事业的冲动。后来的环境不允许你有野心，久而久之也就打消了这个念头。再后来，我也常冒出点儿小野心，遗憾的是总没有付诸行动。结果落个行百步者半九十。"

"现在'野心'这个词还是不能被大多数人所接受。"女儿说。

"不过，现在不同了。有心理学家研究表明，'野心'是成功的关键。你看，世界经济增长点已经从制造业、信息技术，转到了创意产业，现在提倡的创新国家，不怕你有野心，就怕你没想法。你们赶上这样的年代，你的野心无疑对开疆拓石、探索未来具有重要作用呀。"我接着女儿的话茬说。

"那是，我的野心有时能膨胀到疯狂的地步。"女儿像是又拨动了哪根神经，神采奕奕的样子。

"那是件好事，但要坚持。专门研究天才、创造力和古怪习气的加利福尼亚大学心理学家迪恩·西蒙顿认为：'野心包括能量和决心，但是还需要目标。有目标但没有能量的人，是那些最终灰心丧气坐在沙发上哀叹说"总有一天，我会造出一个完美的老鼠夹"的人。有能量但目标模糊的人，总是不断投入新计划，但总半途而废。'"我给女儿念了一段。

我接着自嘲地说："我就属于有目标没能耐的人，有的人属于有能耐但目标模糊的那种，你当然就是有能量和决心，还有明确目标的人喽。"

女儿脸上掠过一丝不易察觉的微笑，让我感到她内心的涌动。

半个多世纪前郭沫若就曾经说过：要允许青年人成长中的"狂狷"，他甚至欣赏这种狂。认为这种狂是有大志、有雄心的一种表现。

孔子也欣赏这种狂狷，曰："不得中行而与之，必也狂狷乎，狂者进取，狷者有所不为也。"

一点儿"野心"没有，也许你就选择了平庸。孩子为自己的"野心"付诸行动，他会觉得生活很精彩。激发孩子的"野心"并不难，允许他们对现实多一点挑战，避免扫兴的埋怨和无端的指责，在他们取得一点成绩时及时给予鼓励，他们自信的"野心"就会因此而萌发。还应该给他们失败的权利，这样他们才能更好地发展自己。

野心的确是一种值得标榜的美德，是让孩子不停地超越自己的无穷动力。

孩子的评语：

我最满意自己的地方就是我的"野心"，而且"野心"每年都在增长。我一直以为"野心"是个好东西，它可以刺激你不断去突破和尝试，我就是不断地被自己的"野心"追逐，一直向前奔跑。"野心"不在别人手里，就在你自己心中。怎样才能感受到"野心"的呼唤，关键在于你要找到值得投入"野心"的目标，然后从现在开始行动。

■ 66. 培养成熟的人格

我是唱着"小松树，快长大"这首歌长大的，后来，又伴随着身边的小松树渐渐长大。

一天，女儿回来对我说："人家都说我特成熟……"

"成熟还不好，你要知道衡量一个人，心理成熟才是真正意义上的成熟。"我坚定地说。

"那我们班的男同学背地里管我叫阿姨，是不是我显得太老了点儿了。"女儿又说。

我笑着说："不会是说你长得老，而是形容你老成。现在好多孩子虽然已经18岁成人了，可他们的内心世界仍然是个孩子。你愿意长大了只是一个枝不繁叶不茂干枯的躯干，还是做一棵苍天大树？"

"当然还是成熟好啦，只要没人说我长得像阿姨就行了。"女儿照着镜子摆了一下头自豪地说。

"那你说说，现在的小树苗为什么长不大？"我继续问。

"哪是小树苗长不大，还不是你们大人老是从别的地方搬来所谓的学习这棵大树干，压得小树苗没法好好长。"女儿堵住了我的嘴。她接着又缓和地说："幸好我不是。"女儿走过来亲了我一下。

"你比喻得太经典了。"我称赞道。

女儿确实比同龄人显得成熟许多，作为一个学生，她已经可以从社会的角度考虑问题，可以轻松地处理好面前的竞争、情绪的压力、学习的得失以及失败的困惑等。

研究心理学的晓沐说：一个心理不成熟的人，由于不能很好地适应成人的社会生活，同时心理承受能力又差，必然会给自己带来这样或那样的不顺利，甚至导致一些心理问题。而一个心理成熟的人，即使有较大的生活压力，也会由于有较强的心理承受能力以及自我调节能力而使自己保持心理上的相对平衡。我给女儿推荐了这篇文章。

哈佛教授奥尔波特在他的《人格形态与成长》中，提出了成熟人格的六要素，作为"人格成熟的基准"。我对她说："你对照着看，就能看出你自己的心理发展成熟度。"

哈佛教授奥尔波特的标准是：

1. 能较好地关注他人吗？

能将关注他人的感受作为一种习惯，把自己的愤怒、恐惧、激情、性的冲动都当做是一种"自我情绪"来处理，尽量不以和周围环境起冲突的方式来处理。

2. 能和他人建立密切联系吗？

对于周围的人，能建立亲密感及认同感。不会随便在背后说人坏话、挑人毛病、发牢骚、嫉妒、讽刺等等，能尊重、宽容对方。懂得何时该去求助于他人，怎样与他人合作共事。

3. 能较好地控制情绪吗？

能克服情绪不安，时时反省自己，等待时机，寻求解决问题的方法，对别人的情绪表现也不会感到有威胁感。

4. 能正确地认识现实并投入其中吗？

能够正确地认识现实，并能投入自己工作、生活的能力也很重要。这种投入能力，是指有某个任务的时候，那种忘我投入的热心感而言。

5. 能做到对自己客观、豁达吗？

能客观地审视自己，也就是说，要真正地洞察自己、了解自己。很多人认为自己很了解自己，其实真能称得上了解自己的人并不多。

6. 有自己的生活哲学吗？

即把什么当做人生最高的价值，应该以哪种方式生活，有自己独特的人生观。

真希望所有的"小松树"都能在适合他们的条件下和适应他们的环境中自然地成长。

孩子的评语：

虽然我们已经成了法律意义上的成年人，但优越的环境却让我们很多人还作不出完全独立和有能力的成年人式的决定。

心理成熟与否应当是别人感受到的，而前提是自己的认知度。

67. 女儿有了男朋友

女儿有了男朋友我是在一次和她购物时才知道的。女儿说要买一款香水送朋友。一看牌子，甫问，肯定是送男同学的。再一问价，300多元！

"同学过生日就买这么贵的礼物？"我转身去看别的东西了。

"人家明天就过生日了……"女儿恳求地说。

女儿长这么大也没见她如此执拗过，心想是不是有了"他"？又回想起几天前和女儿在河边走的情景。

"还记得小时候有一次在昆明湖划船，你正用力地划着，对岸一个外国人大声地冲着我们喊 very strong 吗？"

"记得。"

"那咱们哪天到这儿来划船？"

"和男朋友划多有情趣呀。"女儿回了我一句。

其实那天女儿已经向我发出了信号，只是我没太在意。

这时最好的办法就是先妥协一步，于是我自找台阶下地说："我可以先垫上，回去还我。"因为我知道她有压岁钱。

给朋友的礼物是买下了，可我思考了一路，如何与女儿打开这一敏感话题。

晚上，我首先检讨自己的态度不好："当着售货员的面让你有些下不来台，对不起。"接下来我又用揣摩到的口吻假装神秘地说："我知道你送给谁，如果是我女儿值得喜欢的人，这钱就不用还了。"气氛缓和了，女儿招了出来。然后，我从"妈妈也是这个年龄过来的"说起，再谈到对异性的看法，讲到那时追求我的人很多，但妈妈始终坚守自己的原则。后来女儿和我聊了很多很多……

此后女儿与男朋友出去我都表示支持。我经常鼓励她说，相信你们俩在一起绝不是 1+1=2，一定是 1+1>2。因为你们有目标，有追求，两人在一起可以互相帮助，互相促进，共同完成学业。男朋友在高考前说 4 个月不见面，真有个不学出模样不来见人的架势，结果他考上了自己理想的大学。

现在的孩子在心理和生理上，比以往任何时候都成熟得早，当家长的不必避讳和孩子谈论结交异性朋友，以及对性的认识等问题。我认为自己能做到的，就是作为一个母亲应当更多地和女儿交流，介绍从少女变成成熟女人，再到为人父母这些不同阶段女人的心理变化过程，回过头去和孩子共同分享自己在初恋，以及婚姻中的成与败。这样，会比简单地阻止、说教更有说服力。

在孩子成长的道路上，当女儿第一次为自己选择了一个她喜欢的人时，我告诉自己：孩子初恋这件事，不能堵，只能疏。因为经历过的人都会知道，初恋时爱和被爱的感觉有多好啊！为什么轮到自己孩子触"电"时，我们立马就要绝缘？害怕初恋影响学习是我们的想法，如果处理不好反而更影响他们的学业。

因此，爱孩子，也应该爱孩子的所爱，爱孩子的选择，接受孩子的全部。在这当中，需要我们有一种超然的包容态度。其实，随着时间的推移、阅历的增长、视野的拓宽，当初的恋人未必是现在的爱人，因为我自己也不是一次成婚的。

孩子的评语：

当我们想做一件事而遇父母拦阻时，第一次我们也许会顺从，第二次我们就会不想让你知道，因为我们不喜欢被驳回的感觉。日子久了，我们便什么也不想让你们知道了。你们越是想打听出什么，我们越是觉得隐私权被侵犯，最终家庭关系恶化。看老妈多善解人意。

68. 锻炼需要时间和空间

记得我小的时候，作业没那么多，我们也不太把考试当回事儿。放了假有大量的时间，约上几个同学到公园去玩儿，爬山、划船，好像永远玩儿不够。估计快到点儿了，问问大人手上的表，然后赶在父母下班前回家，如果晚一点儿就撒鸭子往回跑，尽管兜里有几个银子，也舍不得坐车。平时上学的几站地，不管刮风下雨，每天拿起书包就走，从没有给自己找过任何借口。别说，我从小爱运动，还真给自己练就了一副好身子骨。

和咱们小时候相比，现在的孩子可幸福多了，想玩什么都有，可他们想怎么玩却不那么容易了。你看，生活上，我们从原来的平房搬到了楼房，房间大了，视野宽了，可孩子的空间却小了。从我们的上学步行到他们的车接车送，距离缩短了，以车代步了，孩子可以活动活动筋骨的机会没了。从我们不愿着家到现在孩子足不出户，两点一线，熟悉的今天和明天，孩子的生活乐趣少了。从我们简单的嬉戏变成了现在的按键游戏，玩法多了，越玩越酷了，但孩子的内心却停顿了。从我们的早睡早起到现在晚睡还得早起，知识多了，属于孩子的时间却少了。

一次我在公司楼上，看见后院有几个小男孩儿，不知是从哪儿溜进来的，正在篮球架下打得起劲儿。有人向我汇报说他们大吵大嚷的，要我把他们轰出去。我从楼上往下望去，几个孩子的年龄和女儿相当，看着他们娴熟的运球动作，像模像样的投篮技巧，真不忍心轰他们走。于是我对来人说："要是我的女儿在这儿玩儿，你们没人去阻止吧。场地闲着也是闲着，让他们玩吧。我和他们商量商量别大声喊叫就是了。"于是我下了楼。

"小家伙，你们打得不错呀。"

"阿姨求您了，再让我们打完这局吧。"他们似乎知道了我的来意，一个紧张兮兮的男孩儿说。

"叫个暂停。"我命令。

"真扫兴，真没劲。"另外几个男孩儿嘴里嘟囔着。

"你们是不是特别喜欢篮球？"我问。

"是啊，我们可是冒着危险爬墙进来的。"一个男孩儿捅了这个男孩儿，示意不该这么说。

"我们看这儿有个篮球场地，这个球还是我们几个凑钱买的呢。"这个男孩儿看我没有敌意，跟着又说。

"好了,我同意你们在这儿玩,但有一个前提条件,就是不要大声嚷嚷,这样会影响别人工作的,如果下次再有人制止你们,可就不是我的事儿了。"

"耶!"孩子们高兴得跳了起来,接着他们用手指指着自己的嘴巴"嘘"的一声。

我做个手势,压低了声音说:"比赛继续进行!"

放学后,学校的大门紧闭,并不便宜的体育场馆,没有人会愿意无偿地为孩子们开放,让孩子们到哪儿活动?如果再遇上只看中学习的家长,玩对孩子来说,只能是梦想了。

人类的幸福是建立在健康基础上的,健康就是一切。毛泽东说过:无体是无德智也。失去健康,一切都谈不上。可现在的孩子还剩下什么了?

看着街上随处可见的小胖墩儿,不用尺量,跟他老爸的腰围不相上下,两人穿一条裤子没问题。邻居家有个胖墩儿,放学回家妈妈背着沉重的书包,孩子轻装爬楼,我在后面保持着距离。结果妈妈走在前面还没怎么样,女儿在后面就开始喘了。孩子是不是衰老得也太快了点儿?

原来觉得七老八十才得的糖尿病、高血压、心脏病好像没有了年龄的门槛,孩子的未来真是令人担忧,能怪谁呢?在担忧孩子体质下降的同时,我们是不是应该考虑一下给孩子提供了多少时间和空间。

孩子的评语:

学校已经减少了体育课,家里就别再把我们钉在板凳上了。我的姥姥八十多岁了,每天还做20次仰卧起坐,我每天对自己也有一定的锻炼要求。要想让我们动起来,首先家长先动起来。我的家人就为我营造了一种浓郁的锻炼氛围。

▌69. 参加社会活动比课堂学习更重要

有教育专家呼吁："对于孩子来说，通过与年龄相仿的伙伴一同玩耍及参加社会化的活动，不仅可以培养健全的人格，而且能够提高他们适应社会的各种能力。"鼓励孩子与同伴一起玩儿，可以突破独生子女与生俱来以自我为中心的限制，了解别人的需求和感受，从而掌握相应的交往技巧。

那时的女儿还小，没有能力自己寻找伙伴，我极力想为她寻找合适的玩伴，一来可以解脱她总缠着我的烦恼；二来还可以减少独生子女的孤独和寂寞，让她从小学会与人友好相处。几个同事在一起很聊得来，自然孩子们彼此也产生了好感。双休日我总是把几个孩子召集到一起，大家互相交换玩具、拿出好看的图书、展示自己最美的图画、讲个好听的故事、相互邀请朋友到自己家玩……我们经常组织这样小型的家庭聚会，说好自带干粮，或当场厨艺展示。大人们围坐着，嗑着瓜子边吃边聊，谈论着工作体会、时尚话题、育儿经验，孩子们一头躲进别的房间说悄悄话去了。有时我们还约好带着孩子一起度假。女儿与小伙伴的交往活动伴随了她的整个童年。直到现在，我们还保持着不定期的聚会，孩提时的伙伴仍和女儿关系密切。

在孩子小时候就教给他们基本的交际技能是很有必要的。让孩子掌握这种技能，首先应该给他们创造一个良好的交际环境与平等和谐的交往氛围，培养孩子敢说话、爱说话、不怕说错话、敢于提问的好习惯，尊重他们的意见，放手让他们自己拿主意，这样他们自然就有信心，敢于交际了。还有就是在孩子交往中，要适时地告诉他们应当怎样与人交换、交流、沟通、合作、分享等。再就是为他们提供与成人的交际机会，如果这关过了，就不会出现很多学生走向社会时才暴露的"社交恐惧症"了。

孩子们暑期的时候，我建议公司为他们开放一天，让孩子们看看爸爸妈妈们是怎样工作的，帮助他们开阔视野，从中学会与成人交往，增强与伙伴之间的友谊。孩子们到了一个新的环境什么都感到新奇，在这样的环境里，他们也会考虑自己长大了要做什么。我让孩子们在会议室里的圆桌前坐下，首先让孩子们做一个游戏，就是谁能在规定的时间里了解在座朋友更多的信息。一个是了解的人越多越好，一个是知道对方信息越多越好。接着，他们就忙活开了，有的拿笔写着，有的凭脑子记着。一会儿时间到了，有的孩子能够说出所有人的名字，有的孩子能把一个人的信息了解得很多，有的两项兼而有之。大家都得到了不同程度的表扬。我的目的是让孩子们打消与人交往困难的通路，然后能表达出来就OK。刚开始他们还有些拘谨，不一会儿他们就放开了，快乐的感觉占了上风。

孩子们看到每个员工胸前都戴着一个胸卡很是羡慕，有的贴近员工看个究竟。接下来，我让孩子们为自己设计名片，要求他们画得越能表现自己的特点越好，我不希望看到谁的名片和其他人的一样。上面要有几个要素：自己的名字、目标（就是你将来想做什么）、职位（就是你将来想当什么）。孩子们认真地画着、想着、写着。好了，谁先展示一下自己的名片？孩子们已经全无拘束感，纷纷举起自己的名片：工程师、科学家、老师、歌星……女儿展示的职位是总经理。说说你为什么选择这个职位。她说，现在妈妈在公司，公司的最高职位就是总经理。把在座的人都逗笑了。

休息过后，是大人们都不能参与的孩子们的自主讨论时间，讲什么都行，说什么不限，每个人都说出自己想说的就行了。女儿自告奋勇当主持，我们都退了出去。从门缝里观望，只见一个个小人一本正经的样子，很是好笑。说着说着就成了男生一拨，女生一派的激烈辩论，结果男生不如女生。

正巧女儿要参加一个"未来的网络"的演讲比赛，需要做幻灯片配合讲解，我鼓励她自己去寻求可以帮助她的员工，这样不仅可以锻炼与成人交往的能力，同时还能学到使用计算机的技巧。由于她想象丰富演讲精彩，片子的视觉效果又好，最后获得了演讲比赛第一名。她还把好消息告诉帮助她的那位员工。后来我问那位员工孩子是怎么和他交流的，他说：她先问我下班后有没有时间可以帮助她，然后再请我教她怎么使用Powerpoint，她很快就会自己做了。后来女儿放学后先到公司，因为在学校她看到的全是孩子，而这里却聚集了朝气蓬勃的年轻人，她很快与他们成了好朋友。

戴尔·卡耐基说："一个人事业的成功只有15%取决于他的专业技能，另外的85%要依靠人际关系和处世技巧。"而除了专业知识以外的交流沟通技巧、语言表达能力等"软技术"的培养，我们近乎一片空白。

孩子的评语：

人生活在社会中不可能离群索居，妈妈鼓励我与同龄人交往，与异性交往，与年长的人交往，尽早地接受社会的熏陶，使我受益无穷。我体会到提高与人交往能力甚至比掌握书本知识更重要。

70. 分数虽可贵，能力价更高

高三的家长会似乎比以往更多了。像往常一样，我还是征求女儿是否有必要参加。

"还是听听去吧，高考前的家长会说是很重要的。"女儿说。

"高考冲刺、查漏补缺、迎接挑战、备战x模，无非又是讲这些，再不就是排名：市里排名、区里排名、学校排名、年级排名、班里排名，嘿，你们组里有没有排名？无非是讲这些，你不都知道了吗？我没必要去了。"这一次我真的就没参加。

第二天，女儿说老师要求家长抽出时间与老师单独面谈一次。

我如约去了学校。

"老师好。"我边说边坐了下来。

"你女儿最近的学习有些滑坡，不知道什么原因，是不是交朋友还是其他原因？"老师问。

"老师，没关系，那是因为她参加了一个重要活动，有一门考试我没让她考。"我忙解释说。

"还是让她少参加点儿社会活动吧。能上好学校应该尽量争取。"老师还是好心地指点我。

"上哪个学校，她有她的一定之规，还是顺其自然、任其发展吧，她愿意走自己的路，我也愿意尊重她的选择。"我这话好像打消了老师的念头。

回到家女儿可能也感觉到最近的学习有些不妙，忙问老师说了些什么。

我先把和老师的谈话转达给女儿，看得出她怕我和老师串通一气，不吱声了。

我把话题一转，"嗨，有考试，就有分数；有分数，就有高低。妈妈以前对分数从不看重，现在仍然不要求你。"我转身趴在女儿耳边小声地说："告诉你，社会活动还参加着，能力也增长着，朋友继续交着，学习还兼顾着，这就是我的态度。"

女儿顿时精神焕发。

"还记得妈妈在你上高中前对你的期望是什么吗？"我问。

"在各方面能力上有所提高啊。"

"你觉得你哪方面的能力增长了？能列举一下吗？"

"独立思考能力、应用整合信息能力、倾听与沟通能力、交流与协作能力、解决问题能力、克服困难能力，还有……"女儿很自信地列举着。

"哇，我具备这么多的能力吗？"女儿谦虚地问。

"没有错，你就是这么强！回过头来看看，这几年你确实增长了不少能耐。我认为你还有一个最强的能力，自学能力。"我又给女儿补充道。

"你说现在的高分低能指的是什么？"

"不就是能考高分，不会做事情嘛。"

"那你说将来到社会上，一个人在学校只有考试能力没有学习能力，最终不还是体现出低分低能吗？"

"必然呀！就像计算机，有再好的硬件装备，没有安装相应的软件，再好的主机也发挥不出作用呀。"

"那如果有两种人，你愿意当那个高分低能的呢，还是低分高能的呢？"我问女儿。

"您不觉得我是高分高能吗？"女儿诡秘地反问我。

"咦，我怎么没有想到还有一种呢？真是有眼不识泰山。"我俩大笑起来。

我很早就让女儿意识到，生活中其实还有很多比学习更重要的东西。我对女儿学什么、怎么学以及在学习过程中的感受看做与考试一样重要，甚至比考试分数更重要。分数在为一个学生提供强有力的身份的同时，它同样以强有力的态势摧毁着他们的心灵。现在整个社会都太注重知识结构，却忽视了能力结构的构建。很少有人告诉孩子获得高分固然很好，但学习不好并不意味着将来就一事无成。家长一味地要求孩子的成绩好了还要再好，分数高了还要满分，有多少父母与孩子之间的亲情就这样被分数离间了。女儿越是考得不怎么样的时候，我就越告诉她不要成为分数的奴隶，知识毕竟不能代表能力，有了获取知识的能力，才能受用一辈子。

毕竟，市场标准更能提供关于一个人的能力信息。管理学上有一个著名的木桶理论：一只木桶的盛水量不是取决于最高的那块木板，而是取决于最低的那一块。即使你把长的那快增加多少倍（学位取得的再高）也不能使木桶多盛一点水，而恰恰是不被看好的最短的那块（能力的培养）也许是最重要的。爱因斯坦曾这样说过："所谓教育，应在于学校知识全部忘光后仍能留下的那部分东西。"那么，在孩子学完、背完、考完、忘完后留下的那部分东西是什么？如果回答是能力，也就不难理解在美国大家都知道的一句话："A students work for C students（得A的学生最后会为得C的学生打工）"了。

要增强孩子自己的能力和增加他对自己的认识，毕竟一个人的成功不只在于他有多少知识，而更重要的是他有没有运用知识的能力。

孩子的评语：

分数好并不意味着一定能使自己产生正确的判断、勇气、智慧、宽容和远见，也无法伴我们在今后的道路上走多远。父母应当让我们做一个与社会接轨的有能力的巨人，而不是抱着书本不愿放下，赖在学校不愿离开的"矮子"。不必钻在分数的几位数里不肯出来，还是增长本领，能去搏击未来的才是好样的！

如果谁的父母对能力的认识还处于迟钝甚至麻木状态，恐怕您的孩子走向社会也不会让您轻松。庆幸的是，我从不把自己捆绑在分数上，早已从分数线中逃出来了，而用更多的时间全面发展自己。现在有报刊让我写专栏，有英文培训班请我讲课，有电视台让我策划节目，我和大牌的戏剧导演、电影导演都在拍片子了。可我还是个学生呢！话说回来，即使上名校、考高分，如果我没这金刚钻，哪敢揽这瓷器活儿？

71. 不去最好的学府，要读最适合的专业

谁家要是有个中考或高考的孩子，那就意味着这个家庭要进入紧张的临战状态了。和很多父母一样，凭女儿的实力，我也想把她的大学锁定在北大、清华。于是，电脑的文件夹里多了这两个学校的招生网站，随时关注着学校的最新动态。

女儿自己参加了北大艺术特长生的考试，很快得到北大艺术系影视编

导专业复试的通知，复试顺利通过并获得影视编导专业一级水平等级证书。接到录取通知，女儿似乎表现异常冷静，老爸倒是挺高兴的，提出晚上到外面吃一顿庆祝一下，女儿却怎么也高兴不起来。能从这里面读懂她到底想做什么，只有细心的妈妈了。

老爸可不知道女儿骨子里还另打着别的算盘，几乎是在同时，她自己已经往返数次报名参加了中国传媒大学的几个她喜欢的专业的初试。回来后，我发现女儿表现出近日来少有的兴奋，两眼冒着光地对我说："我觉得我属于这个学校。"不出所料她报考的三个专业都通过了初试。

复试的考题更是令她兴奋不已，我是了解女儿的，考察越是有深度、广度，面试题越是具有挑战性，她就越是不惧。回到家女儿兴奋地大叫："我的脑子好久没有这么用了。"

尽管我喜欢女儿这种特有的主宰感，但我已清楚地意识到，她可以顺利进入北大这个现实，可能在一瞬间要由她自己改变了。

我的收藏夹里又添加了一个中国传媒大学的招生网站。

一天晚上，她主动召开家庭会议（其实她想去传媒大学的想法早已与我达成共识），讨论两个议题：

1. 市级三好生能否让出。

这话听起来有点怪怪的，原来他们班符合市级三好生的只有两人：一个男生，一个女儿，老师让他们自己商量，只能出一个。

"我想把这10分让给我的同学，对他来说这10分很可能派上用场，因为他要考最好学校最好的系。"女儿试探地说。

"哇！要知道市级三好生能加10分哪！就这么拱手让给人家了，说说理由吧。"我半开玩笑地说。

"因为我要是去北大，降的50分足够用了，去传媒也用不着这个分。"女儿似乎胸有成竹，早已做出出让的准备了。

最终，全家一致通过女儿让出北京市三好学生的决定。

这件事令我很欣慰，在这种重要选择时刻女儿会为别人着想。

"大恩不言报"，那个男孩和他的家人感激不尽。后来男孩和女儿聊了很长时间,说出的话恐怕比高中生活三年话的总量还多得多呢。

2. 是选学校还是选专业。

老爸一直坚持让女儿去北大,并认为她也应该选择北大。看来说服老爸并不容易,一场舌战难以避免。

"我当裁判,你们各自阐述自己的观点",看着有点紧张的气氛,我这个已和女儿配合默契的"黑哨"只好出动。

"北大有一流的牌子,一流的师资。"还是老爸先开口。

"传媒有一流的硬件设备,有我喜欢的专业课程。"女儿一点儿不示弱。

"要想今后有发展,北大这块牌子很重要,尤其是国外就认北大清华。"和很多具有传统观念父母一样的老爸进一步申辩着。

"我知道自己要做什么,也知道怎么做才更有利发展,我有自己的规划。"女儿斩钉截铁地坚持自己的观点。

"就是,12年的学习不光为了高考,考上了也没必要非上你想让她上的学校。放弃北大的机会是需要勇气的,是不是清楚自己究竟想做什么不更值得庆幸吗?"我说。

双方各执己见,拉开了说服对方的架势。

看来胳膊拗过大腿确实不容易。我实在沉不住气了,对着老爸说:"请回答我一个问题:这四年是你学,还是她学?你非让她上名牌大学,不就是要满足你的虚荣心嘛!"老爸无言以对。我接着说:"这样吧,你们俩儿把你们认为最能说服对方的理由说出来,争取驳倒对方。"

结果老爸的理由一一被女儿否定了,最后就只剩下牌子了。

最终我亮出裁判的权威:"我们还是举手表决,本人意见两票,老爸老妈各一票。"老爸当然不愿举起他那高贵的手,最终女儿以三票的绝对优势初战告捷。

接下来还要听听各路的意见,还用说吗,十个有十个都说北大好。其实我知道只要女儿决定的事,恐怕难有人能改变她。

我也承认,北大是最好的学府,但没有女儿想学的最好学科。现在社会对知识的需求不断变化,对新知识的需要越来越多。因此学习有用的东西对女儿来说尤为重要。还是那句话：最适合才是最好的。

我当然希望教育应当为每一个孩子设计他们独有的课程！既然现在做不到，至少做父母的应当同意孩子为自己选择的课程，帮孩子选择与兴趣匹配的学校和专业，而不要过高地奢求孩子能调整自己去适合你的愿望。

我松了一口气，那是因为我看到，当女儿拿到毕业证书时，她的青春终于可以不再因为我们而白白浪费。也许一个孩子的成功就是从最初的兴趣、乐趣，再到志趣开始的，女儿正为她的未来做好准备，而我们要做的就是以我们应该做的方式帮助她实现这一切。

孩子的评语：

能很理智地规划自己的未来，而不是狂热地追求名校的光环与荣耀。因为我知道这些东西都是虚的，也许能在未来的求职中增加些砝码，但我还是相信实实在在的东西。不过一上大学我就有幸被"编外"在北大戏剧研究所，学到的东西也不比身在其中差。

■ 72. 女儿是个有目标的人

孩子高考，周围人的神经似乎都跟着不大正常。话不敢说，生怕哪句说得不对碰着孩子哪根神经。孩子不高兴，全家都拉着脸大气不敢喘，生怕哪个动作会跟孩子撞了车。

从表面看，女儿与往常不无两样。一天，我看她学到很晚对她说："别学了，咱考不上大学也没关系。"

"嗯，你真是这么想的吗？"女儿有些诧异。

"是啊。我觉得上大学不如立大志。不是说了吗，'条条大道通罗马'，成才之路无数条，我一点儿也不怀疑你的能力比上过大学的人差。"我毫不掩饰自己的观点。

"你真理解我。也是啊，非上大学干吗呀，我现在有自己的目标，自学也不是不可以。"女儿有了知音似乎轻松了许多。

"这样也许离你想达到的目标更直接、更近呢，我相信无论走哪条路，你一定能通过自己的努力获得自己想要的。上了大学你觉得不好玩也可以随时不上回家自学，我觉得文凭对你来说没有什么用。"我一个劲儿地拉着她的后腿。

"我要游离在两者之间，该有的我也要有，本事自己长。"女儿早有自己的盘算。

我说："现在又兴高分复读，我真不明白他们是怎么想的？简直是浪费时间，浪费生命。学习也是有时间成本的，一年的时间你会做很多的事情，有很大的长进。复读不等于原地踏步吗？时间、金钱花了，他们的目标就是考上名校，上完了干什么呀？"

"上完了，再接着上，直到学校不留人了。"哈哈。女儿嘴角泛起一抹心开意解的笑意。

女儿的目标是想做导演，但她填报志愿没有选择这个专业，北大影视编导系她考了一级，按说最对她的路，可她还是选择了中国传媒大学的数字媒体影视制作方向。我问她为什么？她说："导演不是学出来的。"实际上，关于导演的功课她早就做着了，我想，她一定想把做一个导演所具备的知识、技能全部了解、掌握，做到得心应手。她很清晰自己想做什么，如何去做。

女儿在我同龄朋友当中算是最小的了。别人的孩子都毕业了，但是没工作的也不少。

一天，我碰到好久不见的小学同学，她的孩子已经毕业两年了，由于当初没有选好专业，现在也没找到理想的工作。她说已经让女儿考了好几个证了，会计证、人力资源证……但还是没有合适她的工作，现在又准备去国外读了。我问她女儿到底想干什么，朋友说先拿到几个证书再说。

事实上，这个孩子完全没有必要浪费大量的时间和金钱去学不见得有回报的自己又没有兴趣的东西。学了一大堆、绕了几大圈，做的又不是自己喜欢做的，该有多痛苦。不如瞄准自己认定的目标，一直做下去，因为自己喜欢。做事应该先想好了再做，我们应该让孩子有规划、有远见、有目标。否则，就不可能调动孩子所有的潜能并为此而努力。我不相信这个孩子在认识的选择时没有自己的声音，只是没有坚定自己的声音，不是追随了父母的脚步，就是轻信了媒体的报道，或是朋友的好言相劝。

我的周围有自己的目标并能将它明确地描述出来的孩子很少，有的是只停留在脑子里，随波逐流不知道自己飘向何方的居多，因此应帮助孩子及早选定自己的人生目标。

关于目标，据说哈佛大学曾经研究了几百位年轻人，发现3%的人目标清晰而且远大；10%的人目标清晰而不远大；60%的人目标模糊，或没有目标。

25年后，科学家追踪这几百位年轻人，那3%的人成为各界的精英和领袖；那10%的人成为各个专业的佼佼者，收入颇丰；60%的人是在社会的中下层；而另外27%的人一辈子境遇很差，怨天尤人。大多成功人士之所以成功，都是由于能够专心致志于他所努力成就的目标上，舍弃一切与他成功之路不相关的事物。

上大学只能比喻成任何交通工具到达终点站前行驶中的一站，父母如果为孩子没考上大学而觉得自己无能，真是大可不必，孩子一定有他最优秀的一面，那就换个思路让他充分发挥自己的优势。如果我们只把考上大学作为孩子的终极目标，当他学出来之后仍然会感到面前一片茫然，他们不知还要在大海中漂泊多久才能找到目标。没有大到不能完成的梦想，也没有小到不值得设立的目标。让孩子及早选定自己的目标，目标就在正前方——要证明自己可以！没有什么是不可能的。

孩子的评语：

心中有目标,对我来说,上北大和上联大并没有太大的区别。上大学不是我们的终极目标。无论我们想干什么，能在这个领域做得好,你就应该为他高兴。

我们要做自己人生的设计师，而不是父母为我们设计的我们似乎总在努力也不可能完成的目标，在认定自己的目标时不要被无关紧要的事过多打搅,因为成功的秘诀就是抓住目标不放,不把时间浪费在无谓的牺牲上。

73. 尊重孩子的选择吧

包括我在内的很多朋友为什么干了一辈子工作却成绩平平，不就是因为我们日日做着自己并不喜欢做的简单、重复而又没有创意的工作吗?年轻时所有的热情、热心和热血早已被日月洗礼了,我们感觉不到自己在工作中的快乐。我们那个年代出来的人就别说了,如果踏入哪个工作领域,基本上就不愿离开那把固定的椅子了,这在大多数人身上几乎都可以看到。

现在不同了,终生固守一个职位的情形已经不多见了。职场上可供选择的职位随着市场的需求日益增多,体面的工作、高收入的岗位、有竞争力的行业等等,都是家长早已为孩子瞄准的方向,因此,父母在为孩子选择学校时则往往考虑更多的是将来的就业、薪水、出国、升迁等因素。

其实人是千差万别的,据美国哈佛大学的研究资料表明,人有7种不同的智力中心。比如,有的人智力表现在空间方面,有的人表现在逻辑思维方面,有的人表现在语言方面,有的人表现在音乐方面,还有的人表现在交往方面等等。所以说,让孩子选择适合其成长的路就是成功的选择、明智的选择。

女儿快要高考了,起初我也在不经意中流露出希望女儿学的几个专业,试探一下女儿的反应。女儿听了立刻流露出抵触情绪。我很快意识到,为孩子选择一所好的大学、好的专业无可厚非,但首先还是要尊重女儿的选择。因为人生就是一个选择的过程,选择对了,孩子自然一路顺风;选择错了,很可能南辕北辙,最适合才是最好的。

我决定先与女儿沟通,问问她的想法,听听她想学什么,看看她将来想做什么。当我知道她想从事与艺术沾边的事时的确有些不悦,因为在我看来,从大环境来讲那些从事创造性工作的艺术家、设计师等在我国还没有得到真正意义上的重视;再往学校看,一般理科学得不好才去读文科,如果文科的文化课也不大行,才考虑学艺术。

看来,说服自己比说服女儿还要难。

我确实看到了女儿有着与众不同的天赋,也不想因为我怠于思考孩子拥有的才能,因此放弃上苍赐予她最佳的礼物。我看到心理学研究发现,如果一个人的性格特点与社会职业对个体的要求相一致时, 个体就处于最佳发展态势。我不得不告诫自己,唯恐自己忘记了自己孩子的本质,知道是什么让我的孩子从本质上有别于其他孩子。找到属于自己孩子的独特的词汇,这一点对我来说很重要。经过反复考虑,我想通了,并在网上为她收集了大量国内外与艺术沾边的学校,女儿为此感到欣慰。

我认识到:如果我一味地在该校处于什么位子发问,一味地考虑这个专业今后的方向如何如何,那么倒霉的是孩子了。四年啊,日复一日、年复一年,学着他们不喜欢的东西,多残酷呀。

交流中又可以看出女儿将来想从事的是能够有自由的空间、灵活的时间、能充分发挥个人聪明才智、能弹性安排自己生活这样个性化的、理想的工作。而绝不是大人想象中的一个稳定的职业,一份丰厚收入的白领工作。她说:我绝不会像你们似的一辈子没完没了地只干一件事。这时我才意识到,工业革命以来形成的整个工作岗位体制已经被瓦解,想让孩子安安稳稳一辈子一个职位的时代已经成为过去。

后来我发现,我尊重了孩子的选择不光是给了她一种自信的暗示,更成全了她的情感和自尊。之后,不难发现女儿在精神上得到了慰藉,身心上得到了愉悦,学习上更得到了长进。我很庆幸地为女儿自己选择自己的专业、设计自己的前途,自己做自己的主人,自己对自己负责感到欣慰。

有的孩子就没那么幸运了,我问她你想学什么?不知道。我妈说了,选专业是父母的事,挣分数是我的事,根据分数再说能上哪个学校。果然到交表的最后时刻还是根据孩子的考分填了志愿。

有很多人曾问过我:你怎么那么傻,孩子考那么高的分你为什么不让她上最好的学校。我说:我总不能按斤论两地拿孩子的分数去称哪个学校,而不用孩子的擅长去实现她想为之奋斗的梦想,还是应该按照他们自身的条件去成长、去发展。我们的自我实现不应以牺牲孩子的选择为代价。我以为她已经具备了一定的能力,她应该可以为她自己的选择负责了。再说了,你拿着电视遥控器不停地换台,突然你停下了,什么原因使得你停下?很简单,就是你寻找到了自己喜欢的节目。你可以这样挑选,孩子为什么就不成?

美国《时代周刊》封面故事写道:中国崛起已不是预测,而是事实。但事实上,中国青年智商很高智慧不足。他们困惑、不自信。虽然出生在崛起中的拥有选择的时代,但时代没传授他们选择的智慧并用智慧选择成功。因此,在为孩子作出选择的时候,我的感触是千万不能强人就己,这样做只能将刚冒出的智慧嫩芽消灭在萌芽状态中。我们做父母的至少应该知道:自己的孩子究竟会做什么? 能做什么? 要做什么? 想做什么? 我们应当看到不同,接受不同,以不同的方式思考。如果是孩子先想好的,我们没有理由不宽心地坦然接受。因为,从小到大我们已经限制孩子的东西太多了,再不尊重他们的选择,他们就很少有机会去思考他们真正想要的东西了。

孩子的评语：

　　我在不同的年龄阶段拥有不同的选择权，从小能享受选择权的人，才能感到真正意义上的快乐和自在，也正是有选择、有自由，懂尊重，我们才是真正意义上的人。遗憾的是，我的几个好朋友由于"父母包办"，大学都在学着自己不喜欢的东西，要知道，被动接受父母选择的人肯定不如自己选择的人感到快乐。

　　我们喜欢的，就是我们可能成功的。千万别让我们在四年的无奈下等待毕业，在极度无聊中虚度光阴。学习并快乐着，这才是父母和我们一起作出的最明智的选择。

74. 做自觉学习的一朵奇葩

　　"宓宓怎么好长时间没来了？"姥姥问。

　　"别说您很长时间没见到她了，我都一个月没见她了，她很少回家。"

　　"干吗去了？"

　　"拍片子去了。"

　　"不上学了？拍片子去，这怎么行，学生的任务就是学习，以后有的是时间工作……"

　　"您别着急，她不是不学了，而是边干边学，也就是自学，到了期末参加考试。"

　　"没听说不听课也能参加考试！你没看电视上老说大学生有文凭都

找不到工作，你可别把孩子耽误了。"

"您别担心，她可有适合她自己的一套学习方式呢。其实上了大学本身就应当会自学了，这不，她所有的课都自学，结果考试都过了，有的成绩在班上还名列前茅呢。"

子曰："知之者不如好之者，好之者不如乐之者。"孔子把学习的三个阶段总结为："知道学习的人不如喜欢学习的人。喜欢学习的人不如以学习为乐的人，甚至忘怀一切的人。"

乐学的女儿更喜欢自学，这是因为她的学习完全是把自己的兴趣、需要和愿望有机结合起来的一种有意义的学习；是一种使个人的行为、态度、个性与未来选择行动上尽量相一致的学习。我愿意她更多地选择自学方式，是因为学校的学习更多体现的是共性、权威，注重传道、授业，对孩子自学能力较忽视。在家里我更关注的是孩子的个性、自主，注重解惑和创造，对她自学行动的赞许。因为我并不希望她成为一个中规中矩、死记硬背、高分连连的老师眼中的好学生，只想让她成为一个个性十足、思维敏捷、具有自学能力的自己。同学都在读着老师指定的教科书，她却不断地看着自己想看的书；同学想混张文凭将来好就业，她早已为自己储蓄自学的经验（制造就业机会）。

因此，学会自学，成为问题的解决者，才是孩子成长中最需要培养的能力。如果让孩子12年的基础教育就是围绕着高考进行，将分数、特长、证书等成为学习的唯一目标，孩子学习的乐趣可能早就没有了。但如果一个孩子的学习不是被动地接受知识，而是主动地获取知识，并能够把新获取的知识和自己已有的知识结构联系起来，构建成自己新的知识体系，才能说是对原来所接受知识的突破。

女儿就是这样，儿童时代，当很多孩子整天穿梭于绘画班、舞蹈班、学前班时，她却忙于堆沙子、搭宫殿、做自制玩具等；上小学时，很多孩子忙于英语班、作文班、各种兴趣班，她却开始了阅读大量的中外名著，看原版的外国电影；初中升高中时，很多孩子加入了补习班或请家教辅导，经常是熬到深夜，她每晚9点前睡觉，雷打不动；高中的孩子们都在争分夺秒地准备高考，她却如意地做着她喜欢的小电影，参加着喜欢的各种校外活动；上了大学仍然自学着、玩着、做着。她就是这样地学着，并深深地得益于此。

当女儿的学习愿望已经到了她对自己的知识感到不满足时，任何人也无法停止她学习的脚步了。

孩子的评语：

在学校里，无论老师把你当成名列前茅、聪明绝顶的好学生，还是倒数第几、愚不可及的大笨蛋，对我来说无所谓。有时上课对我来说极为乏味，我每天紧盯着自己的表，指针指到下课时间我就自由了。回到家，我渴望的真正的教育——自学才开始，因为这种自我教育是自己愿意学的，自己愿意做的，有时我也真想摆脱那种无聊的学法。

▌75. 做个不听话的好孩子

我们的教育历来就是听话教育，孩子到哪哪哪去，父母都要嘱咐孩子要听谁谁谁的话。因为在中国的传统观念中听话成了衡量孩子好坏的首要标准了。子女在父母的面前，学生在老师的面前，只有听话的份儿，大人永远是对的，甚至是大人错误的话，孩子也不得不听。你瞧，这回女儿可又不听话了。

大二外教的第一堂英语课，老师逐个问了每个同学的英文名，并当即将所有同学原有的名字无一例外地改掉了，有的同学说"我的英文名是上学期的外教刚改的""知道你这个名字是什么意思，是同性恋！"……总之，无论你怎么申辩,不管你情愿不情愿,外教赋予你的名字没人敢抵挡。问到女儿的英文名是什么,"就是我的名字umi。""给你改一个……"既然大家都改了,女儿就随个大流,逐波一下也无妨,但她偏坚持了一把:"我像您捍卫自己名字一样坚持我的名字不改!"

回来她一跟我说我高兴极了:"太棒了你!掷地有声!这老师以为教了这么多年中国学生恐怕还没有哪个敢说'不'字呢。后来老师怎么表示?"

"老师无奈,不改就不改吧。可有人把这事告诉班主任了,说我一是不听老师的话;二是显示自己的英语好。"

"真是奴才!过去中国人为什么挨欺负,就是因为自己不争气,一副奴才相,你越是这样人家就越看不起你。为什么他让改就得改,你问他把你们国家名字改了行吗?简直是不尊重人的起码权利。你的坚持是对的!长了中国人的志气!让他也知道知道中国学生不是那么好捏的!还有说你显示英语好,还用说吗?英语就是好,索性你问他不上英语课期末就参加考试行不行。"

女儿对老师的做法有自己的主见,其他同学"敢怒不敢言",她却不怀。我们应当培养的是能进行独立思考而不是在一开始就接受别人思想的孩子。我告诉过她:不必害怕自己和大多数人的想法和做法不一样,因为你本来就和别人不一样。面对同样的一件事,你认为对的,你的想法和做法又何必和其他人一致?这让我想起,几十年前鲁迅先生就在《从孩子的照相说起》一文中有过评说:……驯良之类并不是恶德。但发展开去,对一切事无不驯良,却决不是美德,也许简直倒是没出息。他还说:"中国一般的趋势,却只在向驯良之类——'静'的一方面发展,低眉顺眼,唯唯诺诺,才算一个好孩子,名之曰'有趣'。活泼、健康、顽强、挺胸仰面……凡属'动'的,那就未免有人摇头了。"鲁迅先生对此深感忧虑,认为把"驯良"作为对孩子的首要要求,只能造成孩子的奴才性格。

一直以来,无论家长还是老师都认为"好孩子一定是要听话的"。言外之意就是不听话的孩子就算不上好孩子。因此,在这样的"听话教导"下,我们培育了太多的在家听话的"好孩子",学校里听话的"好学生",社会上听话的

"好干部"。我们习惯于教孩子说正确的套话，而不习惯于听孩子说自己的真话，这种所谓的好，是违背人的本能的，是做给别人看的"好"，以此来满足内心被认可的成就感的需求。这种"好"，只能让孩子内心冲突不断，心理困扰层出不穷。让孩子听你的话，按你的话去办事，这样做的结果是满足了成人的心理需求，而不是满足孩子的心理需求。

我不希望女儿做一个听话的好孩子，我倒希望自己做一个听话的好家长，能和她一起去判断事物，理解生活，观察世界，因为我希望她成为一个不一样的自己。大人有大人的世界，孩子有孩子的世界。让每一个孩子可以在大人面前随时说"不"，而不是为了成为别人眼中所谓的好孩子就失去了自己！

那些聪明好动、爱质疑、有主见、难以管教、调皮捣蛋、接受能力强、具有独立性和创造性的孩子，怎可以以听话不听话就定一个"好"与"坏"呢？在判断孩子好坏之前，自己首先就错了。

我们都是大自然的产物，我很喜欢女儿尽可能地保持着她自然的本性，而不希望在她身上过早地发现不该属于他们的东西。那种用听话来教育孩子的做法，只能是压抑了人，诋毁了人，让孩子们越来越缺少独立思维的能力，其结果只能是一代不如一代。放下你的虚伪的自尊，用我们的尊重、理解、爱护、关心、宽容孩子，接受孩子的"不"，把孩子从"听话的教导"中解脱出来，我们才能真正看清我们要培养怎样的人，到底什么样的孩子才是好孩子！南京大学文学院院长董健说得好："'大学精神'就是学术独立、思想自由、兼容并蓄。大学之'大'是大在精神。大学培养人才是'立人'而不是'造机器'。"的确，学生敢于独立自由地思考，敢于表达自己的真实想法，坚持说出自己内心的真话，忠实于自己的人格，这才称得上是教育的成功。可想而知，在上学的时候都不能给孩子自由表达的机会，难道还能指望着他们走向社会后就自然会有自己的见解吗？

孩子的评语：
　　羞羞答答、唯唯诺诺、胆小怕事、缺乏主见、平庸无能、思想软弱、遇到变迁就徘徊、碰到困难就退缩、遭遇挫折就沮丧,是听话孩子最典型的表现,听话只能培养出更多的社会弱者。

听话不听话好比人与机器,人与机器人的最大区别在于人能够思维。听话,照别人的指令去做那是机器人,而独立、创造才属于我们自己。

人之初,性本善。世界上本来没有坏孩子,"坏孩子"是成年人制造出来的,我们内心的真实愿望,都是希望得到好孩子所能够得到的一切。

76. 发扬个性的光辉

走路箭步如飞,长发随风飘逸,超炫的迷你MP3紧贴耳边,超紧的露脐装、剪裁合体的低腰裤,从头到脚足以描绘出一个前卫女孩的特征,这就是女儿。

想一想我们那个年代的女人,穿的几乎都是一样的款式,颜色跳不出那几个色调。我当时的穿着打扮时常被冠以"奇装异服",为了与众不同,我经常设计并动手制作自己喜爱的衣服,就为穿出自己的个性来,那些叫得欢的人私下也对我说:"真精神、真好看。"我才不管别人怎么评价呢,但我们中的大部分人却不能不在乎外界如何看待自己。

没有个性的年代过去了,看着女儿张扬的个性并为自己作出的富有魅力的选择,真是只有羡慕的份儿了。她希望强调的是这个时代自己的女性魅力。同时,她深层次的见解也凸显在她着装以外内在的意识里。

我一直愿女儿成为一个有鲜明个性、独立人格和深刻思想的人。女儿做任何事情也不会人云亦云，而总是有自己鲜明的立场和惊人的见地。

她做的第一部小电影要在学校放映了，为了起到宣传作用，她自己设计，并花钱到外面制作了像模像样的宣传海报。

"就冲着这张吸引眼球的海报，一定不愁没人去看你的作品！"我在上映前给她鼓劲儿。

这天回来还没等我问她演的效果怎样，她就对我气愤地说："一个副校长把我的海报给撕了。"

"为什么？太过分了！"

"她说我不该贴在那儿。"

"不该贴在那儿换个地方不就行了吗？这么不尊重人家的劳动成果，我去找校长去！"我看到女儿辛辛苦苦做出的作品被人蹂躏真是火冒三丈。

"没事儿了，反正那儿不让贴我又在别的地方贴了，跑了N趟磨破嘴皮子跟校方借放映室，但不行，最后只同意我在两个阶梯教室放映，不过目的也达到了。"

"片子反映怎么样？"我问。

"能容纳几百人的阶梯教室挤得水泄不通，连走廊都挤满了人。真给面子！楼上楼下一起放。反响出奇的好，大家笑得都快把房顶震开了，我感动得真想亲吻在场的每一位。"女儿激动得两眼放光。

女儿这份初当导演的经历虽然一波三折，但在自己的努力下终归圆满收场。

家长会上，老师对女儿的表现给予了肯定。我对年级组长说：不求老师说她做得如何好，只求教师能理解与尊重孩子的"个性"，保护好孩子的个性和创造性思维不受到伤害。

我最不能容忍以死记硬背为中心的缺乏主见、缺乏创造力、没有个性的模式化教育。这种不重视个性的教育直接扼杀了孩子的独立性和创造性。在学校，通常是一个孩子的思维越活跃，表现出的个性就越强，因而也更容易受到指责；可一旦他变得与人别无两样，也不再受到指责的时候，他的个性和能力也就随之萎缩掉了。

母亲为人类贡献的最主要的产品就是自己的孩子,孩子的个性就像孩子的面孔一样各有不同。不要要求你的孩子要像某某一样。我们应当帮助他们发展自己的个性,以换取更高的价值。我相信,孩子的内心世界有着无限的力量,当他充分发挥出他的个性时,他的人生就会发出惊人的光辉。

> **孩子的评语:**
>
> 巴黎是世界浪漫之都;维也纳是音乐之都;佛罗伦萨是文艺复兴的发祥地;罗马是世界的"首都"……这些城市因为个性而闻名。城市要有个性、不可替代性,升值潜力才大。人也要有鲜明的个性,没有个性就缺乏创造力,没有创造力也很难在竞争中胜出。
>
> 学校教育很容易把我们培养成一个"标准件"。如同有些城市,长得都差不多,走到哪儿,楼也是那些楼,街还是那些街。
>
> 既然承认个性是每个人有别于其他人的独特性,谁都该接受个性的差异吧。

■77. 不仅看得惯,还要跟得上

时代在变迁,潮流在变化,年轻人的审美观也在发生着剧变。昨天你认为还正确的道理, 今天没准儿可能已经落伍。有时候你会对现在孩子的衣着、行为举止看不惯,有时候你也会为他们怎么不像我们那个年代知道节俭感到不解,有时候你期待孩子应该在你规定的中规中矩的服装里选择穿戴。

要是这样想，你真的就落伍了。

一天天下着雨，女儿去了姥姥家。姥姥见孙女裤腿儿湿了半截很是心疼，忙叫她换下湿裤子穿上姐姐的一条，说下次来再拿这条裤子。

又过了几天，我和女儿去姥姥家，一进门姥姥就问我："你给孩子买裤子了吗？"

"买什么裤子？"问得我一头雾水。

"上次来，我看她的裤子坏成那样，给了她200元钱让她买条新裤子呀。"姥姥说。

"唉，你怎么没说呢？"

"我的裤子好好的，姥姥偏要让我买条新的，没必要，我用那钱买书了，嘿嘿。姥姥我那条牛仔裤呢？"女儿问。

姥姥转身从衣柜里拿出叠得整整齐齐的裤子。

"谢谢姥姥。"女儿高兴地正准备换上她最喜欢的这条裤子，打开一看鼻子差点儿气歪了："啊，怎么变成这个样子了？"

"我看你这裤子边都毛着，再说还有点儿长，我就把毛边儿剪了，缅上一个边儿，这穿上才像个裤子样！"姥姥讲着自己的理儿。

"嗨，您就不知道了吧，这才叫时尚，人家这个毛边儿是故意踩出来的，要的就是这种效果。"我忙解释道。

"什么时尚呀，我看像个叫花子，要饭的都不穿这样的裤子。"姥姥坚持着自己的看法。

"这叫拉屎攥拳头，要的这股劲儿。您也别不高兴了，我把边儿放出来再撕出毛边儿来不就行了吗。"我拿过裤子和女儿说："咱们一人一条腿儿，我教你重新制造出牛仔裤毛边的效果来。"不一会儿，裤子又恢复了原貌。姥姥简直不能理解，我对她说："时代不同了，穿衣的观念也得与时俱进呀，我给您买条牛仔裤要不要？"

"我负责给您做毛边。"女儿开玩笑地看着姥姥。

"妈，您还记得我年轻的时候吗？那时候的服装，走在街上穿一样的比比皆是，就是一个单位的'撞车'的时候也是家常便饭，别提多尴尬了。所以那时候我就不买商场的衣服,自己做,既省钱又穿出与众不同了。"

女儿和我年轻时在穿衣上一样,总是求新、求奇、求异,她夏天最偏爱的要算肚兜儿了,特别是有点儿中国元素的肚兜儿,有的我们自己缝制。她说穿肚兜儿能露出美丽的锁骨来,正规的场合再套上一件外衣就行了,我现在也只有羡慕的份儿了。

高中毕业合影,学校没有要求一定要穿校服,这可是彰显穿衣个性的好时机,女儿也愿意把美丽留在高中的回忆里。

"由宓,你怎么穿成这个样子?"一个副校长指着她又说。"以后不许穿这身上学来!"

"没关系,我特批了!"校长多聪明,也知道这是学生最后一次到校,一点儿没伤女儿的面。

女儿回来对我讲了这个经过,我笑着对她说:"难怪她只能当副的呢!"

我总希望自己有一双容易"审美疲劳"的眼睛,试图对他们的一切都看得惯。青春词典中的时尚、酷、靓、妩媚……这些词汇本该都是属于他们的。我们不应忽视人性本来的面目,如果一个孩子的童年不知道是怎样度过的,青春期又没有了属于他们的词汇,孩子将来的人生,我真说不清还会有什么色彩了?

往往我们教给他们的和他们接触的东西是很排斥的。时尚潮流不断地翻新,流行音乐层出不穷地变换,网络语言用灵活变通的方式交流着,电影已从影院搬到了手机上……80后是这样,90后谁又会说得准什么样。看来,我们需要新的思维,只有让自己沉浸在对新生事物的不懈追求中,对下一代尽可能地多读懂点儿,而不是从心底里抵触它。

时代变了,我们还用传统的观念应对,潮流转了,我们还用过时的眼光反应。我们看中的东西,孩子不见得在乎,同样,孩子认为好的,我们都看不上眼。或许这就是我们与孩子格格不入的原因。不得不承认,我们看待事物的现状和孩子们的期望已经有了差距。为了避免在孩子面前、在新生事物面前约等于文盲的尴尬,我们只有彼此走近才不会落得太远。因为,社会不会因为你观念的滞后而停止不前,你不能改变的只有适应、赶上。

孩子的评语：

人们常形容"三岁一个代沟"，这样的话，我们之间岂不是千沟万壑了吗？要知道，家长能用宽容和理解的心态去了解年轻一代的想法，那么一切看不惯就会变得顺眼多了。一句话就是：要想不落伍，就与我们共舞。

78. 发挥天赋是成功的秘诀

墨西哥作者哈维尔·费尔南德斯·贡萨莱斯写了这样一个故事：

一天，动物们聚在一起，决定办一所学校，教育委员会由狮子、老鹰、海豚、松鼠和鸭子组成。

狮子坚持跑步应该成为必修课，而老鹰则认为所有人都应学习飞翔，有些诗人气质的海豚说："不学游泳就不是真正的教育。"松鼠也提出了自己的建议：大家都应该学会爬树。

汇集所有人的建议，委员会出台了一份教学大纲，大纲开头是这么写的：动物王国的每个公民都要学会教学大纲规定的所有课程。

虽然狮子在跑步课上表现最好，但它的爬树课却问题重重：它总是从树上摔下来，弄得四脚朝天。很快它的脊柱就受伤了，连跑步都无法正常进行。因此，它的跑步课不但没得最高分，分数甚至比别的动物都低。

老鹰是无与伦比的飞翔大师，但游泳课让它的翅膀虚弱无力，还受了伤。很快它的飞翔课分数就掉到与松鼠同一个档次了。它的游泳课从来没及格过，更别提爬树了。

鸭子倒是学会了所有的课程，但没有一样精通：跑起步来像醉汉，游起泳来瞻前顾后，飞翔水平马马虎虎，由于鸭子总是十分遵守纪律，它被获准免修爬树课。在它身上，大家终于看到了教学大纲的成果。

动物们终于认识到，它们的教学大纲是糟糕的。

动物各有擅长，孩子更有不同，所以教育不应按设定的同一个模子对所有人进行塑造，不要把一些知识硬灌进孩子幼稚的头脑。教育是通过某种方式激发孩子的潜能，让他们感悟到真理，而不是把真理强加给他们。

如果我们不想让自己的孩子成为跑不动的狮子、不能飞的老鹰、离开水的海豚、被淹死的松鼠和平庸的鸭子，我们就应该懂得什么叫扬长避短。

我让自己尽量做到了解孩子、接受孩子，不拿孩子的短去比别人的长，坦然地面对与接受，然后找到孩子擅长的方向给他决心与鼓励。

有资料表明：人终其一生只有不到5%的潜能得到发挥。

每个孩子都有自己的潜质和特点，有的孩子能言善辩、有的孩子博览群书、有的孩子长袖善舞、有的孩子笔走龙蛇。只要尽其所能，就成功有望。如果孩子不具有学者型发展取向，就没必要汲汲于高学位的追逐；如果孩子是个动手能力强的人，就别耽误他朝着最近的途径发展成功。明明是一个艺术型人才，却逼着他做个平庸的医生；的确是块学技术的料，偏偏让他成为一个没有起色的画匠。这是教育的失误，家长的失误！

李扬说：我每天都在为自己众多的弱点而苦恼！和弱点（weaknesses）斗争了20多年，几乎没有什么胜利的记录。有一天我终于明白，与其花费大量的时间与弱点作斗争，不如坦然地接受自己的弱点，同时全力以赴加强自己的优势（strengths）。把优势加强十倍，你就一定能成功！每个人都有天赋，发挥天赋是成功的秘诀！

孩子的青少年时代是多梦的季节，不论孩子表现出来的是创意、是潜能、是梦想或是虚拟的一些不存在的事情，我们都应竭力保护它，"去做"、

"去试试"吧。他们都有着无限的潜力和能量，一旦这种潜能释放出来，他们就会变成一个精力旺盛、光芒四射的人。

孩子的评语：

如果想知道自己身上还有多少未知的潜力可以挖掘，那么，就应该接受对自己的每一次挑战。但做任何事还是需要有一定天赋的，幸运的人可能从小就发现了这种天赋，但很多人即使给他创造了条件也达不到很高境界，因为他可能确实没有这种天赋。特别是父母应当接受这个事实，别总跟我们"叫劲儿"。

79. 寻找孩子的贵人

1. 遇到"贵人"。

如果一个人站在人生的十字路口徘徊，得到了"贵人"的点拨，他可能会从此走上一条星光大道。

如果一个落难的人得到了"贵人"的解囊相助，他也许会视这位"贵人"为再生父母。

如果一个濒临倒闭的企业遇到了具有"贵人"风范的经营者，那么，这个企业就会很快起死回生，奇迹般地复活，迎来新的发展机遇。

如果一位作家始终没有"贵人"发现他与众不同的才能，不知还要在探索中耗费多少时间和精力。

女儿在无意中认识了著名出版人洪晃，她以独具的慧眼和爱惜人才的胸怀,发现了女儿的与众不同和聪明才智。让她登上《青春一族》杂志封面,还有幸登上了2005全球财富论坛,发表了英文演讲。

能够得到"贵人"帮助,当然够得上幸运,但仔细想想,能够得到"贵人"相助的人大多具有聪明才智或远大抱负。同样的机会摆在我面前,我没有过人的才智和可以挖掘的潜质,又有谁愿意帮助我呢? 包括我自己在内,很多人终其一生都在等待机会。其实机会无所不在,关键是当机会出现时,你是否做好准备了。正像大生物学家巴斯德说过的一句话:"机遇只偏爱那些有准备的头脑。"的确,巧合也只会在那些从无懈怠的人身边出现。

因此,不要总以为别人是幸运的,要记住那句老话:只要是金子,放到哪里都会发光。让孩子练好自己的内功,等待发现金子的人,但前提是你至少是一块含金量较高的矿石。

2. 做不贵的"贵人"。

孩子成长中需要很多人的帮助,从呱呱坠地到长大成人,在孩子的周围无意间会碰上无数的贵人。一说到贵人,我们总习惯把一些身份显赫、有所建树的达官显贵、社会名流称作"贵人"。只是我们平常没有察觉到,其实贵人远在天边,近在眼前。也许是学校的老师,也可以是亲朋好友,还有你的街坊邻里,还可以是孩子的父母……也就是说,当孩子在生活当中从某一个人身上直接或间接地受到某种影响的时候,都可以认定对方为自己的贵人。

别以为只有那些身价非凡、地位崇高的人才配当贵人。父母应该成为孩子生活中的第一个贵人,"因为要激励、帮助一个人,最有效的方式不是靠权利与金钱,而是给人自尊心,给人存在的价值感。"比尔·盖茨在1975年母亲节时,寄给他妈妈这样一段话:我爱您! 妈妈。您从来不说我比别的孩子差;您总是在我干的事情中,不断寻找值得赞许的地方;我怀念和您在一起的所有时光。能说比尔·盖茨的母亲不是他遇到的贵人吗? 你我也许都没有显赫的身份,没有足够高的学历,只要我们有一颗爱心,我们都可以充当一个不贵的"贵人",为孩子的将来带来自信、勇气和力量。

在孩子成长过程中,应当让他明白,经常会有人在他遇到难题的时候帮他解决。那些愿意无条件帮助过自己的人,愿意欣赏自己长处的人,愿意和自己分担分享的人，始终不放弃而坚信自己的人，愿意为自己生气的人，甚至经常在自己面前唠叨的人，这些人都是自己的贵人，因为有贵人相助，一个人的成长才会变得更加精彩。

> **孩子的评语：**
>
> 也许运气由上天决定，而行动则由自己决定。机遇虽有偶然性，但优秀总没错。遇到"贵人"需要能够回应那样的影响和帮助。还有从我们身边不贵的"贵人"那里学到更多。但我更相信，贵人就相伴着你，那就是"做自己贵人"的同时，也不要放弃能成为别人贵人的人。

■80. 微笑出魔力

铃……家里的电话铃响了。

"老妈，电话。"女儿喊了一声。

我忙从厨房跑出，聊了片刻挂上了电话。

女儿问："谁呀？"

"我原来单位的同事。"我说。

"我怎么觉得她像是个做保险的或是搞推销的。"女儿疑惑地说。

"没错！你怎么猜得那么准，她就是做直销的，你怎么知道的？我不记得什么时候跟你说过她呀。"我很是惊讶。

"是她的话语和在电话那边的微笑告诉我的。"女儿解释说。

"就是因为她这样的微笑，本来我不想买的东西，最终还是给人掏腰包了。"我向女儿挤了一下眼。

同样是一天的事,女儿和我唠了起来。

"我和老爸出去,说就在饺子馆随便吃点儿吧,一进门,没人和你打招呼,没人主动领位。自己找个地儿坐下吧,待了会儿,没人答理你,只好叫服务员过来,一位满脸不悦的女性走到桌前。我点了三种馅的,后来想改一下,回答:都写上了,不能改!悉听尊便吧。服务员端着盘子不知是往哪桌送,后来的比我们还先吃上。饺子总算送来了吃完了,想喝碗汤,招呼服务员,回答:自己盛去。我顺势走向盛儿处一看又回来了。出了门,我和老爸说:再也不来这家饭馆了!现在想找这样的饭馆都不容易了,这回可让我找回了多少年前进国营饭馆的感觉了。"

我学会微笑还要感谢女儿。刚为人父母的人,常常喜欢摆出一副架势,以显示做父母的威严。可孩子根本不买你的账,不愿接近你。后来女儿在我高兴的时候对我说:妈妈,我最不愿意看你绷着脸的时候。女儿用小手硬是把我的嘴巴搬成嘴角上翘的样子,我不得不装出笑脸。她率真的童言童语和微笑一直感染着我。

生活中没人愿意看你紧绷着的脸,工作中也没有谁愿意面对一张哭丧着脸的人。真倒霉,公司新换了个上司,本来长得就够困难的,再加上满脸的仇恨,整个工作气氛让员工有透不过气的感觉。这让我想起了女儿小时候说不想看着我绷着的脸,真想对我的上司说说,哪敢呀!从那时起,我下决心工作上再不顺心,工作压力再大,也决不把烦恼带回家。面对家人,把表情永远调成微笑,你会发现,这样不但给家人带来愉悦,自己的压力也缓解了。

一次朋友和我聊家常:"你婆婆对你好吗?"

"为什么先要她对我好,我首先对她很好。我们之间的关系甚至比我和自己母亲的关系还好呢。其实最大的法宝就是微笑,别人看见你这样都不好意思不笑了。良好的关系都是互动的,否则婆媳之间很容易陷入一个长期恶性的循环中。不能要求别人,先要调整自己。"我说道。

朋友回家试试还挺灵。因为笑容是一个善意的使者,你的微笑仿佛传达给别人这样的信息:我喜欢你,你令我愉快,我见到你真高兴,我愿意为你做一切。

无论是工作上还是生活中，无论是亲人、朋友、同学、同事，没有人会拒绝你的微笑。记住，别让烦恼使你忘了微笑，别因压力让你没了笑容。把微笑作为礼物送给他人，别人不会不把微笑回馈于你，如果你自己都不肯以身作则先发出微笑的邀请，又何谈让别人接纳你呢？

孩子的评语：

据说人的笑脸和苦脸都是自己长期习惯所致，想使自己变得美丽点儿吗？就让微笑常挂嘴边吧。信不信，我常把微笑挂嘴边，心态都变得阳光了，别整天闷闷不乐，要知道，没有谁会愿意陪你一起分享痛苦的。

81. 感恩之心不可无

有这样一个传说，两个人同时去见上帝，问上天堂的路怎么走。上帝见他们俩饥饿难忍，就给了他们每人一份食物，其中一个接过食物很是感激，连声说："谢谢、谢谢"，另一个人接过食物无动于衷，仿佛就该给他似的。之后，上帝只让那个说谢谢的人上了天堂；另一个则被拒之门外。被拒之门外的不服：我不就忘记说句谢谢吗。上帝说："不是忘了，没有感恩的心就说不出谢谢的话，不知感恩的人就不知爱别人，而且也得不到别人的爱。"那人还是不服：那少说一句谢谢，差别也不能这么大呀。上帝又说："这没办法，因为天堂的路是用感恩的心铺成的，上天堂的门也是用感恩的心才能打开。"

现实生活中,有人问一位104岁的老太太长寿的秘诀是什么,她说:一是要幽默;二是要学会感谢。从25岁结婚开始,每天她说得最多的两个字就是"谢谢"。她感谢丈夫、感谢父母、感谢儿女、感谢邻居、感谢大自然给予她的种种关怀和体贴,感谢每一个祥和温暖快乐的日子。别人每对她说一句亲切的话语,每为她做一件平凡的小事,每送给她一张问候的笑脸,她都忘不了说声"谢谢"。大家对她每天无数次的谢谢不但不厌烦,反而更加体贴关爱她了,总觉得自己若不付出更多的爱就对不起她那一声一声的谢谢。80年过去了,是谢谢二字使老太太的快乐长久,使老太太的幸福长久,使老太太的生命长久,使老太太一切的一切长久。

每一个有良知的人都不应忘记曾经帮助过你的人,让孩子学会知恩报恩就应从感激每一件小事做起。

一次我和女儿乘公交车,我掏出钱买票,按照习惯我都会对给我票的售票员说声"谢谢"。这次还没等我说出,手机响了,我忙去接电话。女儿下车说你忘记对售票员说"谢谢"了,我已经替你谢了售票员。我说:那我谢谢你了。从小我就对女儿说过,别人为你做的每一件事情都是别人在帮你做,无论做的每一件小事你都应该感谢别人。在家里丈夫帮我做的任何事情,我都会随口说声"谢谢",别人看到我们都说老夫老妻还是相敬如宾的。女儿帮我做了事情我也同样深表谢忱,我为她做了事情她也会表示谢意。每当女儿要在电脑上做东西,她都会像哄孩子一样对着电脑好话说尽,做完东西还亲亲它表示感谢,她说任何东西都是有灵性的。日久天长,习惯成了自然。我相信在家里她都会把"谢谢"随时挂在嘴边,在外面她也会对别人心存感激之心。

一天,我和女儿下楼看见几个农民工蹲在地上休息,我上前搭腔问道:"前面的楼也是你们盖的吧,真漂亮。""嗨,我们不就是臭打工的嘛。""不,你们很了不起,北京没有你们的建设怎么会发展得那么快,真得感谢你们。"民工们露出了笑容说:"也就是您还把我们当回事儿。"我和女儿说我就是想让他们知道,他们对北京的贡献是功不可没的,我们不能视而不见。他们付出的很多,可是他们过着和我们太不对等的生活,他们没有更高的要求,只希望我们少一些鄙夷的目光,多一份对他们的尊重。从那以后女儿懂得主动和班里外来务工子女接触并帮助他们，后来关系特别好，直到现在还有联系。

在孩子感恩的清单里，需要他们知道感恩的地方太多太多：父母给予的生命，老师给予的教诲，同学使你懂得的友情……就连大自然给你的灿烂阳光、和风细雨，以及鸟语花香都值得感恩。然而，有时我们的眼睛看不到，耳朵听不到，鼻子闻不到，舌头尝不到，手摸不到，脚迈不到……只因为我们缺少一颗感恩的心。涓滴之恩、涌泉相报，总是怀有一颗感恩的心，怨恨少一些，感激多一些，才能让孩子的眼睛发现更多的美，才能使他们的心灵更健康。

孩子的评语：

在我们成长中得到多少人的关心、关怀、照顾、保护、教育、帮助……这当中有相识的和不相识的。在我们成长的年轮里都刻下了从启蒙老师到专业导师的痕迹。施恩者不图报，这就是老师。我甚至没有忘记幼儿园的师长，在建园十周年的日子里，我写了一篇纪念文章，以此表达感激之情。

82. 需要说声"对不起"

人一生会经历无数次道歉，但向孩子道歉却并不容易。

这天，我一进家门就看见老爸冲着女儿的房门不高兴地说着什么，见我进来对我说："你也别说她了，她又把你新的山地车丢了。"

"什么？刚骑一次又给我弄丢了？"这辆车是我参加一个活动获奖得来的，不是因为它的性能有多好，而是颜色款式让我喜欢。

"你是不是又没有存车？"我的气儿不打一处来。

"我看遍了周围，没有一个存车的地方。怕丢了，还和同学的车子锁在一起。"

女儿解释着。后来女儿就一声不吱了，听着我不停地大吼。

嚷了一会儿，我看女儿不理我，我也就不吱声了。这时，女儿走出来轻声地说："妈妈，对不起，都是我的错，我会想办法的。"

我一听，心里一阵酸痛，丢车固然有错，但我的态度也确实有问题。我应该向女儿道歉，但还没容我张口，人家已经抢先了。我知道，这是女儿在提醒我。因为生活中我也常做错事儿，每次我意识到自己的不是后，就会跟女儿赔礼道歉。

过了两天，接到一个朋友的电话："你女儿说了，放学要到我这儿打工，偿还你的车钱。你还真当真！我都丢了两位数的车了，这也不能怪孩子呀。"

"嗨，我当时也是压不住火，一听就急了。前两天她刚丢了一辆，怕挨说，回来就说告诉我两件事，一件好事一件坏事，好事说完了，说坏事您可别生气，和同学吃饭去不小心把车丢了。我说丢就丢了，骑辆旧车就没人惦记了，她不干，非要骑我这辆。"我又来了气儿地说着。

后来想想，女儿长这么大还没什么事让我这么大动肝火过。不知是否伤了一个孩子的心？事后女儿已想到去挣钱来还我的车，而我却至今也没有说声"对不起"。

生活中，我们不可能总是对的。有时候当我们不问青红皂白地训斥孩子，却发现错怪了他们；有时候明明是我们的错误，却不许孩子争辩，固执得不可理喻……这时，需要我们道声"对不起"。道理很简单，你不道歉，对方就不知道你的歉意，就算你已经自责。

我们需要说声"对不起"，是因为孩子的面子不应当比我们不重要。

我们需要说声"对不起"，是因为孩子更能看到我们对错误的勇敢面对。

我们需要说声"对不起"，是因为我们愿意看到双方冲突后歉意的微笑。

我们需要说声"对不起"，是因为越是你在乎的人，你就应该越是在乎他的感受。

把"对不起"常挂嘴边，不但一点儿亏都不吃，还能得到福报，信不信由你。

孩子的评语：

别以为向我们道歉是没有尊严的一件事，一个诚恳的歉意会拉近你我之间的距离。

有多少歉意就有多少爱，你说一声"对不起"，我还你一个"对不起"。家长的形象应来自对我们的尊重，并非得益于辈分的权威。放下家长的架子，敢于向我们承认错误，你不仅可以得到回报，更重要的是让我们知道怎样对待别人。

83. 尽早培养工作经验

女儿的工作经历从高中时就开始了。在别人都在闷头学习的时候，女儿已经悄悄步入了社会，别人在假期享受着阳光的时候，她已经在考虑如何把知识转变为实践经验。学习是她学生生活的一部分，然而做事更是她经历生活不可少的，她没有多少时间让自己浪费，一直做着她自己喜欢的事情。

她不在意不带薪水的实践机会，我想起：不记得哪位成功人士曾这样描述过自己："很多人太过于计较，反而错过良机。他们不愿像我一样，在不知道一个工作能否拿到报酬的情况下就答应去做，当一个人的业绩从量变发展到质变，没有人再敢让你继续吃亏了。"

女儿上大一时找上门的事应接不暇，她最大的优点就是看哪件事最能自我提高而不是报酬多少。始终没有闲着的她大二还没上又迎来了一个绝好机会。一天她兴致勃勃地说:"陆川导演让我做助理导演拍一部'二战'的影片,看来我这一年上不了学了。"

"那……"

"你不会不同意吧?这可是导演系毕业多少年的人想有都没有的机会呀。"

"我当然同意你去,就是停止当学生,这样的机会也不能放过呀。我是说这个学还上不上?实在不行就办一年休学吧。"

"我又不想休学耽误学业,又要去做事情,我还是直接找院长商量怎么办好。"

"那是让你当助理导演还是导演助理?这可区别大了。"

"不管做什么我都要好好干!哪儿找这实践的好机会。"

"要是导演助理可能要处理很多杂事。不过不要小看这些小事,要做好每一件看似小的事情,很多大科学家都是从刷试管开始的。"

"我会从我身边的每个人身上学东西的。因为是外资,我要处理外方的各种信息。陆川导演还让我拍一个纪录片呢。"

"可以说你是最大的受益者,别人都各管一摊儿,你可以涉及方方面面,对你的交流表达、信息处理、与人合作、解决问题、外语应对、创新创造都会有很大的提升。"

"没错。"

女儿找到院长说明了意图,院长表示非常支持。商量结果就是期末参加考试就行了。

"那真是再好不过了,我相信你有这个能力,既不耽误学习又不耽误做事,反正专业课你早已做足了功课,其他课程就更不在话下。那平时的作业怎么完成?"

"好朋友把作业传给我,我交作业比他们还快呢。"

"其实学习时间就那么几年,工作才是今后的立足之本。大家还在比学校名气、专业文凭、资格证书的时候,你已经建立了自己的'经验库',积累了很多资源、思维方法和执行能力，我觉得比文凭更能代表一个人的素质是经验的积累。"

鲁迅先生早就说过："孩子初学步的第一步，在成人看来，的确是幼稚，危险，不成样子，或者简直是可笑的。但无论怎样的愚妇人，却总以恳切的希望的心，看他跨出这第一步去，决不会因为他的走法幼稚，怕要阻碍阔人的路线而'逼死'他；也决不至于将他禁在床上，使他躺着研究到能够飞跑时再下地。因为她知道：假如这么办，即使长到一百岁也还是不会走路的。"

今天，孩子处于来自社会（高考），来自学校（高分），更是来自他们的父母（高期望值）的压力。大家认为做任何事情都没有比研究考题、提高分数、考上大学更明确了。任何教育的门大都愿意孩子"请进来学习"，没有哪个门敞开让孩子"走出去实践"，大量的高难度题早已把他们的自信心磨损，他们对要应对的世界一无所知，当他走出校门真正遇到来自社会的挑战时，往往会难以适应。每个孩子都绝对相信父母老师的话：只要好好读书前途就一片光明。听话的孩子在老师的温情话语中被激励，在父母的追赶下砌着书本堆成的高墙，在圣洁的象牙塔光环下想着光耀门楣的大事。然而这样的学生，这样的学生生活，让他们面对现实生活只能心向往之却不能至。

我向来认为，理论知识和实践操作就如同孩子的左右手，一个也不能偏废，女儿在没有耽误学业的同时比同龄人多了许多工作经历。在边学边干中可以看到自己将来人生中可能遇到的问题，有可能更知道怎么学。同时，将所学的知识与现实社会接触，才能让读的书鲜活起来。在这其中，她不仅锻炼出良好的专业技能，也为自己建立了良好的人际关系，更为她今后的发展带来了更多的自信和机会。

孩子的评语：

　　学习只有与丰富的社会实践相结合，才能变得鲜活起来。科学知识靠学校，社会知识靠实践，缺少哪一块都是残缺的。我体会到不走出去实践就很难完成从"要我做"到"我要做"的转变。一般知识，只能在人的内心表面附着，而实践经验，才能够将人的身心染透。拥有了别人所不能的，就不愁无用武之地。还得感谢帮忙逃课的老妈，准假的老师，还有你——如果认可的话。

84. 创业与就业，哪个更适合你的孩子

看到智联招聘网上宏威职业顾问的一个测评：你是否适合创业？有多少创业的潜力？目前你应不应该开始创业？先来测评一下：

1. 你是否曾经有了某个理想而设下两年以上的长期计划，并且按照计划进行直到完成？

2. 在学校和家庭生活中，你是否能在没有父母及师长的督促下，就可以自动地完成分派的工作？

3. 你是否喜欢独自完成自己的工作，并且做得很好？

4. 当你与朋友们在一起时，你的朋友是否常寻求你的指导和建议？你是否曾被推举为领导者？

5. 求学时期，你有没有赚钱的经验？你喜欢储蓄吗？

6. 你是否能够专注地投入个人兴趣连续10小时以上？

7. 你是否有习惯保存重要资料，并且井井有条地整理，以备需要时可以随时提取查阅？

8. 在平时生活中，你是否热衷于社会业务工作？你关心别人的需要吗？

9. 你是否喜欢音乐、艺术、体育以及各种活动课程？

10. 在求学期间，你是否曾经带动同学，完成一项由你领导的大型活动，譬如运动会、歌唱比赛，等等？

11. 你喜欢在竞争中看到自己表现良好吗？

12. 当你为别人工作时，发现其管理方式不当，你是否会想出适当的管理方式并建议改进？

13. 当你需要别人帮忙时，是否能充满自信地提出要求，且能说服别人来帮助你？

14. 你在募款或义卖时，是不是充满自信而不害羞？

15. 当你要完成一项重要的工作时，总是给自己足够的时间仔细完成，而绝不会让时间虚度，在匆忙中草率完成？

16. 参加重要聚会时，你是否准时赴约？

17. 你是否有能力安排一个恰当的环境，使你在工作时能不受干扰、有效地专心工作？

18. 你交往的朋友中，是否有许多有成就、有智慧、有眼光、有远见、老成稳重型的人物？

19. 你在工作或学习团体中，被认为是受欢迎的人物吗？

20. 你自认为是个理财能手吗？

21. 你是否可以为了赚钱而牺牲个人娱乐？

22. 你是否总是独自挑起责任的担子，彻底了解工作目标并认真地执行工作计划？

23. 你在工作时，是否有足够的耐心与耐力？

24. 你是否能在很短的时间内，结交许多新朋友？

我把测试题打印了出来，分给家人每人一份，规则是不许商量，各自完成。

"我只有一项差点儿劲儿，其他项我都是这么做的。"还没等我转身去做，女儿已经作出了肯定的回答。

"哪一项你觉得差点儿劲儿？"

"第20题，反正现在我也没钱，可以等以后再说。"

我还是拿着纸条假装认认真真地去做了。"报告,我也做完了!"

"怎么样?"

"除了第20题,其他都差点儿劲儿,因此这辈子注定干的都是为别人打工的事儿。"

"哈哈哈哈……"

你看这是答案:答"是"得1分,答"否"则不计分,请统计你所得的分数,并参照下列答案。

0—5分:你目前并不适合自行创业,应当训练自己为别人工作的技术与专业。因为打工的磨炼能让你培养自己的更多潜能。

6—10分:你应在别人的指导下去创业,才有创业成功的机会。创业意味着要用心去经营一份属于自己的事业。但同时,你要更加坚定自己创业的信念。

11—15分:你非常适合自己创业,但是在所有"否"的答案中,你必须分析出自己的问题并加以纠正。创业人才,在创业的过程中要学会掌握规避风险、转移风险、补偿风险、抑制风险、评价风险、预测风险和管理风险的能力。

16—20分:你个性中的特质,足以使你从小事业慢慢开始,并从妥善处理中获得经验,成为成功的创业者。

21—24分:你有无限的潜能,只要懂得掌握时机和运气,你将是未来的商业巨子。

"你知道吗?联合国科教组织指出:现代人应有三本护照,一本文凭类教育护照,一本技术类职业资格认证护照,一本创业知识和技能类创业护照。我觉得现在的教育只偏重第一本教育,你说是不是很难适应飞速变化的时代?"我问。

女儿说:"哦,原来这就是你参加这次创业辅导员培训的目的呀?我看了看你们的教材,的确挺新的,好好学吧。"

没过几天,女儿说:"我的朋友当中有想创业的,你能不能给我们讲讲呀。"

"当然喽,如果让我在现有的能力上再自由选择1—2项本领,我当然愿意增加能够影响别人的本领了。"

"免费喽！"

"不光免费，还自带干粮。"

安逸的校园，过时的教材，大学毕业了，很多人发现自己学了十几年还不是社会所需要的人才。我们到底教了孩子多少有用的知识和本领？我希望看到孩子们早点拥有自己的梦想，早点学会依靠自己，即使他们不创业，选择就业，相信他们也一定是好样的。

孩子的评语：

顺从自己的心愿去做自己喜爱的事情。大学期间我已经为自己铺垫了很多就业机会，比如到纽约、洛杉矶、伦敦等城市我都会获得一份很好的工作。我想，要是创业我也不在乎成败，因为我们年轻，我们输得起。重要的是要有敢作敢为、勇于冒险和创新的人生精神。

85. 明白问题出在哪儿

人们已经习惯于像时间一样顺时针走路。突然有一天，表停了，时针（孩子）说：不是我的错，我始终跟着你们走，你们指向哪里我就跟到哪里；分针说（学校）说：也不是我的错，是秒针走得太快，我有点儿跟不上；秒针（社会）说：我也没错，你看现在发展这么快，我不快点儿行吗。

看看，问题出来了吧？我用这来比喻大学生就业难的问题。

企业：

我期望的大学生怎么会是这个样子：学历不低，能力不高；知识面窄，动手能力差。面试——否，简历——扔。

学校啊，你们怎么就生产不出和企业匹配的人来呀？不敢奢望是成品，哪怕是半成品再销售给我们也好啊。

大学：

怨我，我怨谁呀。这些学生从中学上来就素质不高，本来到我这儿，他们就应该会自学了，可他们觉得还应该像中学似的，家长打着骂着，老师说着，他们才知道怎么学。什么？说我的课程太落后，不能与社会的要求接轨了，这还靠点儿谱，都说与时俱进嘛。可要是换新课程，有的教授不得下岗了吗？

中学：

大学说我这里培养出来的学生素质不高，素质教育嚷了那么多年，你让我怎么实行？首先家长就不干了，说我把孩子送到学校就是学习的，搞素质教育，能让我的孩子上大学吗？话说回来了，我问问你，素质高的，分数不够，你要吗？

老师：

你说我不行，你看我们日不出而作，日落而不息的，不都为了孩子们能考上大学吗？没错，都说教育是教书育人，可现在顾不了那么许多了，除了教，其他什么都快没有了。不就是升学率吗？好！铁路警察我就管这段！

家长：

就这么一个孩子，谁比谁差呀。多学点东西，多弄张证书，多练点特长，多请上家教，多混个文凭。进了大学才算是真正进了保险箱。为了这个目标，有条件要上，没有条件也要上！

孩子：

你们不是说了吗？只要考上大学将来就能找个好工作。可现在别说好工作了，投了数十次简历，连一个一般工作也难找啊。十年寒窗苦，毕业就失业。

回头想想，我还没上小学，你们就一直对我说，只有上大学才有前途。独木桥倒是挤过了，十几年唯一目的就是应付着大大小小的考试，没人告诉我大学毕业后该如何做。文凭倒是拿到了，心里更恐慌了。

现在你们又横挑鼻子竖挑眼的嫌我没本事，早干吗去了。从小你们就带着我东跑西颠地学这学那，学了一堆没用的东西，连童年是什么都没享受过，十几年过着暗无天日的连犯人都不如的生活。谁让你们告诉我学习的目的就是进入学历更高的学校，现在我倒是毕业了，可我还没有做好独立于社会的心理准备，更没人教会我生存的本领，真对不起了，老妈，我只好在家继续啃下去了。

学生靠死啃，高考按计划，就业走市场。但是无论如何，我们都应当明白教育给予学生的和学生所需要的之间应该是什么关系。知识的掌握不仅体现在领会和巩固这两方面，更应体现在能主动而有效地运用知识去成为解决问题的高手。在这样一个以实力求生存的时代，企业需要能独当一面的人才，学校希望培养出一个合格的社会人，家长期望自己的孩子出类拔萃，孩子希望自己能够得到社会上的认可。一个孩子只有符合他所在的价值评判体系里的衡量标准，他才有价值。也就是，最终的社会标准充分提供了一个人的能力信息。为什么孩子学完了，却找不到工作？毕业了，却更没有了自信？成熟了，缺少了往日的激情？学得足够多了，却赶不上时代的节奏？谁的错，谁都没有错，究竟问题出在哪儿？谁该为出现这样的结果买单？

孩子的评语：

我认为两头都没有错：企业和孩子。错就出在了中间环节上：家长、老师、学校。

家长应该为我们解决好为什么学的问题：帮我们从小立志，教我们为什么学，而不是学什么。给我们一个独立思考的空间，而不是没有目的、没有选择地让我们怎么做就怎么做。

老师应该帮我们解决好学什么的问题：比如我们可以提出这样的问题，老师您今天教给我们的知识，我们将来会在什么地方派上用

场？而不是学非所用、用非所学。最好把我们的时间

价值的学习上。

学校应该教会我们怎么学的问题：把务虚为主

为主的学习,荀子都说过："不闻不若闻之,闻之不若见之,见之不若

知之,知之不若行之。"行也就是实践,它在整个学习流程中处于至高

无上的地位。而不是你为应试而教,我为应试而学。最后,倒霉的是我

们,成了应试教育的次品、废品,甚至牺牲品。

86. 树立四个"万"字目标

在艰苦的年代里,红军克服了重重困难走完了二万五千里长征。和平环

境里难道就不需要这种精神了吗？当然不是。怎样才能让孩子踏上新的征

程,达到自己理想的目标？其实,路就在自己脚下。

1. 读万卷书。

在网络、电视成为人们生活中主要阅读媒介的今天,书仍是其他载体无

法替代的智慧载体。"书中自有颜如玉"。如果一个孩子真正爱上了书,他才

可能具有"才、学、识"的素质。但这里指的书绝不仅是学校规定的那几本教

科书,而是根据孩子自身的兴趣,自己的目标,能够培养其素质、挖掘内涵、

拓展视野的有裨益的读物。女儿喜欢博览群书,内容涉及文学、艺术、哲学、

经济、管理,就连军事也有兴趣。家里的藏书也近万册了,她有的精读(《傲慢

与偏见》她读了近20遍)、有的泛读、有的浏览,有目的、有选择、长时间地阅

，已经有侧重地建立起了自己最合理的知识架构。

从小到大我从不担心她会乱花钱，因为我知道她只把文化消费放在第一位。每个父母都想让孩子从小养成爱看书的好习惯，其实，说到容易，做到也容易，要想让孩子爱看书，首先你自己先拿起书，特别是孩子小的时候，千万别忽视了榜样的作用。

2. 行万里路。

理论上说不清的事，实践会告诉你。以前人们总说的"秀才不出门，便知天下事"，已经被现在的"鼠标一点击，便知天下事"所取代。但这无论如何也代替不了走出去的作用。我希望女儿经常能走出家门、走出校门、走出国门，去寻找最能激发她灵感的每一个地方。行万里路有着任何书本知识无可替代的学习效果。过去到京城考进士，很多人都是从各地走来的，他们会看到沿途的风土民情，对他们深入调查社会，广泛了解社会总是有帮助的。

3. 看万部电影。

从小迷恋电影就注定了女儿的梦想。我常说："我们看电影是看热闹，你是在看门道。"她的学习总是对准自己的志向和目标。

罗素说："最优秀的人们总是把自己的优秀归功于各种被认为水火不容的品质的完美结合。"女儿也总是试图把水火不相容的东西拼接，形成自己新的思路。

一次我问她："你从小到现在也得看了几百部电影了吧？""我至少看了上千部了。"的确，她不仅从电影当中了解了世界，增长了见闻，拓展了视野，并且也使自己的世界不断扩大。

4. 交万个朋友。

社会越来越发展，而孩子们却越来越不愿与人面对面地交往了。孩子们之间的友情在褪淡，寻求一两个知己也不是一件容易的事了。人是在一定的社会交往中生存和发展的，孩子最终是要走向社会的，沟通能力、人际交往能力、团队合作能力是职场上不可或缺的能力。古人曰："独学而无友，则孤陋而寡闻。"卡耐基有一句名言，那就是："一个人事业上的成功，只有15%是由于他的专业技术，另外的85%要依靠人际关系、处世技巧。"

我从不限制女儿结识朋友，人们常说"多一个朋友多一条路"，尤其是当今社会的人，如同移动的集资讯、知识、智慧为一体的不同载体。让孩子明白交友是一种心态，一种对人对生活的态度。一定要走出自我，欣赏别人，因为每一个人都需要别人帮助。也没准儿你成就的取得，很可能就是朋友提供的机会。总之，身边多一些优秀的朋友，孩子就会多一些成功的机遇。只要你肯找，不求找不到。现在，她的朋友已遍及世界多个国家。

孩子的评语：

爱上读书是因为你只需付出一点点时间就可以聆听邃古哲人吐露毕生的心得。

知识需要践行才能落实，践行是一个参加实践、身体力行的过程。行走在你知道和你不知道的地方，很大程度上创造的源泉就始于足下。

看电影是因为两点：一是看书之余总想着电影；二是看电影时总能联想。

交朋友是因为你常常要仰赖别人的帮助，同时不知不觉把彼此的火花都摩擦出来了。但前提是首先走出自我，欣赏别人可爱的一面。

87. 养儿育女，别图回报

好久没见的朋友见面了，我说："这回你可清静了，两个孩子都不在身边。"

"是啊，一个在外面上大学，一个到外地去了。"

她请我到一家湘菜馆吃饭。走进去，我们在一个角落坐了下来。

闲扯了一会儿，她终于不吐不快："你刚才问小×，嗨，跟别人跑了。"

"我女儿跟他们之间好像还有联系，我怎么没有听说？"

"小×跟那个男孩儿是一个会计师事务所的，女儿干得不错，很受器重。男孩儿刚离婚，要死要活的，女儿同情他，也不知道怎么着，非要辞职和那男的回他×城的家。姥爷、姥姥怎么劝也留不下呀，你说她怎么就这么绝情？"

"后来还是走了？"

"我跟她说你要是跟他走我就跳楼，她说我到×城给您买双您最喜欢的××牌鞋，您穿上后再跳。"

"在此之前她就没跟你透露过什么？"

"她说过这个男孩儿，人长得挺帅的，挺可怜的，怎么怎么好。"

"那你怎么说？"

"我也没理她，心想一个离婚的怎么可能考虑。"

"其实她已经向你发出了信号，只是你没把她的话当回事儿。"

"就是说了，我也不会同意。后来，我到她单位去了解了一下，那男的什么也不是，就是个普通的职员，又没学历，咱女儿好歹也是大学生呀。你说我一个人，把两个孩子带大，多不容易啊，白养她了，她怎么就这么狠心，一走了之。"朋友此时已泣不成声。

"她就没来过电话？"

"前两天她病了，给我来了一个电话。我问她过得怎么样，她说挺好的。后来我对她说你别后悔，结果她'啪'的把电话挂了。"

"这又是你的不对了，本来人家在病的时候首先想到了你，想到了妈妈无微不至的关心，你应当说，妈妈知道你病了很为你着急，你现在离妈妈这么远，希望你自己照顾好自己吧。应当用真情感动她，而不是把她推向你不希望她去的地方。"

"那天男孩儿妈又来了个电话，说反正你有两个女儿就给我一个吧，她在这儿好着呢。她巴不得让我女儿跟他儿子赶紧结婚。我一听，想了好几天，决定辞职到×城去。"

"你别傻了，人家没准儿就是想躲开你呢。孩子这样做你是不是也有一定的责任？平时你太控制、强制她了，她也许太需要一点儿自由了。"

"是啊，从小到大她可听话了，可懂事了，还说妈您这辈子不容易，等挣了钱给我买大房子。这倒好，白白给人家了。"朋友又一把鼻涕一把眼泪地哭诉着。她接着又问："要是你遇到这事怎么办？"

"那我会说，既然你已经作出了决定，妈妈尊重你。你在外面不管遇到什么困难和怎样的不如意，家门的钥匙在你手中，随时都可以回来。"我又问："她说什么时候回来了吗？"

"说'十一'回来。"

"她要回来，你不要说任何刺激她的话，好好和她谈谈心。先承认自己的过错，慢慢地引导她把心里话说出来。然后问问，这个男孩哪里吸引你，你看上他的是什么，能不能说出你们将来的打算。有一点要把握住，不要急于结婚，因为你年龄还小。这样，她就可以有时间慢慢地发现他、了解他，看看这个人是不是她可以托付终身的人。再说她单位还愿意让她回来，你这个家仍然接纳她，这不就行了？"

朋友点点头。"你看把她们养这么大，我真吃了不少苦，她怎么这么没良心，我越想越委屈。"

"话不能这么说，难道你就没从孩子那儿得到乐趣吗？我们不要总是看孩子的缺点，总是抱怨儿女，养你这么大，妈吃了多少苦，你怎么就是不听话，不孝顺等等，那纯粹是自寻烦恼。我觉得你不要放弃工作，她已经成人了，她有自己选择的自由。你完全没必要活得那么累，不要把精力全放在孩子身上，一定要给自己留一些空间，如果你自己总把母爱无限地扩大，那又是自讨苦吃。如果你把养儿育女视为一种商业行为，觉得养这么大一下子就跟人家跑了，简直是血本无归，那就更不好了，投资有输也有赢，母女之间的亲情可不是其他东西可以代替的，主动地去做孩子的朋友比渴望孩子将来施恩我看更现实一点。"

朋友认可我说得对，情绪也好了许多。

她送我出来，我看到她脚上穿了一双漂亮的鞋："这鞋真漂亮啊。"

"这就是她寄来的。"

"穿上这鞋还跳楼吗？"我问了一句，朋友笑了。

应该学会用心存感激的心态，享受着孕育孩子成长的过程。我就特别感激我的女儿，她的降生给我带来责任，她的天真无邪给我带来了无限的乐趣，她的顽皮给我提供了为人父母的表演机会，她的成长给我奋斗的动力和方向，从女儿身上我可以看到自己童年时的影子，总之，她给了我做母亲的资格……在这个生命的创造过程中，我的付出不已经得到回报了吗？

孩子的评语：

老妈回来就把这件事和我说了，我第一反应就是："我怎么没有离家出走的机会？"想起动物们对待刚出生的幼崽，如果它们咬得过紧，小崽就会死掉，动物妈妈们会很好地掌握度，尽快地让它们的孩子长大、成熟。

88. 营造祥和与温馨的家庭

没有哪一个人不希望在此纷乱的尘世寻求一个祥和与温馨的家庭。

洋溢着祥和与温馨气息的居家环境，是孩子生命的基础点。家庭让每个孩子了解生命的丰盈，每天的回家途中有谁在等待你，迫不及待地想告诉家人今天的快乐与忧愁；家庭永远让孩子有被需要的感觉，你温暖的抚慰是他最渴望的地方。我们做父母的要尽一切力量去营造这样一个祥和与温馨的家庭氛围。

在物欲横溢的时代，人们习惯将家人与别人进行比较：比工作、比薪水、比能力、比职位、比车、比房、比孩子……须知，没有一个人、一个家庭是十全十美的。很多痛苦和不平都是从跟别人比开始的。因此，寻求祥和与温馨的家庭首先需停止和别人的比较，包括和别的孩子的比较，珍惜自己家所拥有的一切。

别的家长总希望孩子回家后把一天发生的事情说一说，考多少分、听讲了吗、考了第几，等等。我和丈夫商量，学校的事情尽量免谈，孩子愿意说的，你不问她也会说，你越是想知道的，人家不愿意告诉你，咱别自讨没趣。学习上的事我们很少问及，晚餐时间我们论及的事情方方面面，国际时势、体育赛事、时尚潮流无所不包。

寻求祥和与温馨的家庭，换位思考也是必要的，但不是每个人都能做到。在家里争个孰强孰弱、谁高谁低，永远坚持我是对的，只会不断破坏家庭的和谐气氛。因此，我在家里总是充当傻傻的、甘为人下的角色。因为我明白家里不是职场、不是战场，没必要决一高下，要永远放弃自己赢的心态，保障家人之间情感的和谐，寻求祥和与温馨的家庭气氛，这才是家共赢的目标。与丈夫争吵要做赢者，只能令双方战火无止境地继续；与孩子争执也要做胜者，只能使战争不断升级，这个家就很难有安宁之日。

美国《读者文摘》有一篇小文，讲的是一户人家经常吵架，看见隔邻的一家非常和睦十分羡慕，便前往请教："你们家每天都过得很快乐，从不吵架，能告诉我们有什么秘诀吗？"

邻家的男主人回答说："我们家每个人都是坏人，所以不会吵架。"

问的人听了一头雾水，以为邻人在敷衍他，悻悻离去。

一天，极为和睦的这家人有辆脚踏车被窃，他们的对话无意间让经常吵架的那户人家听到：

"没有关好门，是我的错。"

"不，我忘了上锁，是我的不好。"

"其实我不该把车子放在院子里。"

……

听者恍然大悟。

心理咨询师唐汶把婚姻比做两个人从相识到相爱，在茫茫人海中寻觅下棋对手的过程。他说："有人在下棋的过程中相信智能，认为如何下好婚姻这盘棋至关重要；有人相信命运，认为是胜是败都无法预测。每一个人都无法避免或躲避这场令人瞩目的两性战争，在这场战争中，愚蠢者想速战速决，聪明者则力求打持久战。在你来我往的交战中，凡是相濡以沫的夫妻只有和棋而无赢家，因为放弃了胜负心。"

大度容人乃智者的处世方式。一个人眼中的优点，也许在另一个人看来就是不能接受的缺点；一个人眼中的缺点，也许另一个人看来就是优点。若能将家人和孩子的缺点，在自己眼中都能转化成不可或缺的优点；若能为了对方改正自己的缺点，用包容和宽容去体会深爱的对方，你就算得上是创造祥和、温馨家庭的高手了。

孩子的评语：

从小到大我的父母没有当着我的面大吵大嚷过，问及原因，原来他们在我出生后不久就约法三章，如遇不愉快的事情争吵前，想一想立下的协议。无论怎样他们也不能当着我的面争吵，他们知道那样会给我带来很多负面影响。据说，他们会遵守第二天或换个地方说服对方的承诺，但其实到了第二天他们已经把事情忘得一干二净，气儿也烟消云散了。家里有必要非争个谁对谁错、谁高谁低、谁好谁坏吗？我只希望父母彼此相敬相爱，与我友好相处，有了这些，远远胜过给予我的所有物质需求。

▊89 在不满意与知足之间

假设我们把满意定义为老师对孩子的满意度，知足定义为家长对孩子的知足感的话，当今孩子的处境大致可分为四种：

1. 不满意，不知足。

这类学生通常是：家长会上常被点名批评或被冠以"差生"之名。会后家长被留下训话，在老师面前抬不起头。

这类孩子在学校不容易取得好的成绩，因而更得不到老师的偏爱；在家里，他们对家长充满依赖，又充满排斥。

在这种环境中，孩子时常感到周围所有人都在向他提醒"你是个学习差的人"，时时忍受着嘲笑和鄙视的目光，久而久之，带给他们的是难以言说的苦痛。

老师不满意的原因，无非是"差生"影响了排名、升学率……

家长不知足的原因，是在众人面前没面子，让孩子按照自己的意愿实现的梦想破灭了。

我不相信学生中有"差生"，只相信"差生"背后有差的教育者。如果我们每个人都有一颗博大的爱心和包容的宽心的话，想让孩子落入"差生"之列恐怕都不容易。

2. 满意，知足。

这类孩子活得很自在，老师对其较满意，家长也很知足。记得我们上学时就是处于这种状态，比较符合孩子顺其自然的成长规律。

这类孩子的家长对孩子的问题往往采取符合孩子自然成长规律的方法解决，家长通常待孩子友善尊重，对家庭对孩子非常乐观，家庭气氛平和而富有生机。

当孩子出现问题时给他们讲道理，只要是与教育相关的问题父母都愿意思考，也不断反思自己教育的失误。其实想一想，我们是否有必要让孩子承受那么大的学习重量，其结果会是我们想要的吗？

3. 满意，不知足。

这类孩子在学校学习成绩一般较好，属于老师比较待见的那种，可遇上了不知足的家长，孩子就倒霉了。现在太多的孩子成长在这种环境中。小学得"双百"、初中择"优校"、高中奔"重点"、大学考"名牌"……家长不遗余力地为孩子报提高班、买参考书、请家教、找模拟题……目的就是让孩子沿着自己设计的总路线前进。

如果孩子为乐趣学习时，他的成绩会不错（但不一定最好）；当孩子为父母学习时，他在考试时感到不安了；如果父母要求孩子一定要考多少多少分，他就会变得紧张兮兮了。他的实力并未改变，只是父母的永不知足把孩子与其自身实力分裂开来了。孩子在大量高难度要求的重压下，常误入歧途，甚至酿成家庭悲剧，这种现象不光出现在高考时期，中考期间也时有发生。

4. 不满意，知足。

这类孩子学习上有很大的潜力，但离老师的要求总有点距离。家长要求孩子只要你努力了就行了。我就站在这一行列。

每次家长会老师都会说，你的孩子还有很大的潜力，只要再加把劲儿，考个前几名不成问题。我把老师的话告诉女儿，她言之凿凿地说："我属于一努力就上去，一放松就稀里哗啦下来的那种，考前几名有可能，考几百名以后也是它。"

我说："这多好呀，学习的主动权全掌控在你的手中，我觉得前几名和几百名对你来说都一样。"

对待孩子的学习问题，应学会拒绝周遭的喧哗与烦闹，拥有简单而平静的心境，并因此寻得满足，此外的一切其实无足轻重。

当今，满意与不满意、知足与不知足的焦点最终都聚焦在学习上，这是一件很令人担忧的事情。究其原因，是我们的潜意识里在孩子很小时就保存着的从众感和怕孩子将来被社会淘汰的恐惧感。然而结果往往适得其反，把望子成龙变成了逼子成虫。

没有哪个父母希望看到自己的孩子毁在最大敌人——父母自己的手里。不要等到有一天孩子离家出走、跳楼自杀……鲜活的生命之花在无知和偏狭的教养下凋落后我们才明白,我们的要求才降到基点:其一,作为生命的延续,我们只需要他是一个身心都健康的孩子;其二,人生中没有什么是值得争艳的。不要等到失去了,再重新得到后才会格外珍惜。请尽快从梦中醒来,一家人能乐融融在一起才是最重要的,最幸福的,其他的人、其他的事,只会诱惑我们背离自己的初衷。

但愿我们的教育标准不再那么单一,我们的家长不再那么功利。

孩子的评语:

"知足者常乐"用在我们身上也不为过。我们每天都和自己的昨天比,只要有一点点进步,你们能够满意和知足就够了。

90. 快乐总在放弃后

在父母"公式化"的观念中,孩子将来要想找到一份好工作,就必须在高考中进入一所好大学;要想高考进入好大学,就必须在中考时进入一所重点高中;要想进重点高中,在选择初中时就必须选择重点初中,还没进小学门的孩子似乎就望见了前面的三座大山。

1. 放弃学前班。

女儿小的时候,很多家长已经兴让孩子上学前班了,我没有让她去。原因是这种"先知"是以牺牲孩子童年的欢乐换来的,太不值了。放弃学前班孩子注定会失去一些东西,但也会在失去的同时获得一些东西。我们在某一时刻只能选择一样结果,看你更看重什么。我们应当选择一个对孩子长远来说更重要的东西。那就是我更愿意让孩子感受到自由。

法国生物学家贝尔纳说:"构成我们学习上最大障碍的是已知的东西,而不是未知的东西。"有时你觉得得到了些什么,可能却失去了很多;有时你认为失去了不少,因而可能得到的更多。应当看到,选择意味着放弃那些不适合孩子成长的东西。

2. 放弃奥数班。

目前,有很多家长望子成龙心情迫切,为了能挤进重点中学,从小学就让孩子上奥数班、艺术考级班、体育特长班等。一位校长认为,一个人要有学习的兴趣和发展的潜力才是最重要的。家长不要把小孩从小那一点点兴趣都给扑灭了。因此,对小孩不要给予太大的压力,要让他们有愉快的童年。

奥数班是当时"小升中"综合测试中的重要部分。老师让班上几个学习好的孩子去考奥数班,结果女儿说:"我一不小心考上了。"我说:"你愿意去就去一次,不愿意学就回来。"女儿只去了一次回来不高兴地说:"没意思,我不想去了。"说是不管三七二十一就是一黑板的题,老师也没讲什么就走了。"那好,我们选择放弃,不去了!"女儿轻松地笑了。

在一次针对500名学生的调查中,四成奥数班孩子表示"我根本听不懂奥数课"。为了对得起家长的学费,很多孩子听不懂也硬撑着,幸好我没有逼她非上奥数班不可,到头来数学的兴趣没培养出来,倒把其他学习的兴趣扼杀了。结果用分数衡量,她的成绩一点也不比上过奥数班的差。

3. 放弃北大。

放弃有时是一个痛苦的过程,因为放弃就意味着不再拥有,一个决定可以改变孩子的一生,它的对错,也许要用一生做赌注。但你必须学会放弃,选择你自己应该拥有的。孩子成长过程中我们需要在取舍中进行选择,我们似乎更渴望取,而忽略了舍的必要。

著名心理学咨询专家唐汶说:"学会放弃,是放弃那种不切合实际的幻想和难以实现的目标,而不是放弃为之奋斗的过程和努力;是放弃那种毫无意义和拼争没有价值的索取,而不是丧失奋斗的动力和生命的活力……面对纷繁复杂的世界和物欲横流的社会,懂得放弃的人,是会用乐观、豁达的心态和愉悦的心情伴随左右。而不懂得放弃的人,只会焦头烂额地乱冲,他们不仅最终未能达到目标,而且每天都陷于患得患失的苦恼之中。"

潇洒地放弃,另辟发挥自己才华的道路,使自己的生命另有别样的价值。假使孩子拥有了一切,而丧失了自我,那才是一件痛苦的事。

不去羡慕别人的孩子如何如何,不再与别的孩子做无谓的比较,正像威廉·詹姆斯说的:"明智的艺术就是清醒地知道该忽略什么的艺术。"

人生旅途中有所得也必然有所失,只有学会了放弃,我们才会活得充实、坦然和轻松。有人说你孩子这个分数能上北大不去多可惜,我认为放弃是为了让孩子更好地调整自我,准备良好的心态向最适合自己的目标靠近。于是,我放弃了孩子能考多少分就应上什么学的想法,而根据孩子的具体情况,量体裁衣,让她学她所喜欢的,做真实的自己。

孩子的评语:

妈妈给我讲过这样一个故事:一个小孩子伸手到装满榛果的瓶子里,他尽其所能地抓了一把榛果,当他想把手收回时,手被瓶口卡住。他既不愿放弃榛果,又不能把手缩回来,不禁伤心地哭了。这时一个人告诉他:"只拿一半,让你的拳头小些,那么你的手就可以很容易地拿出来了。"这告诉人们,往往什么都舍不得放弃的人,结果却什么也没得到。正所谓:有所失才会有所得。

91. 做合格妈妈的五种能力

1. 倾听能力。

听是人的一种本能，倾听才是人的一种能力。每个孩子都会觉得自己的声音是最动听的、最值得关注的，回到家都迫不及待地想向父母表达。倾听孩子说话我们要注意营造出平等和谐融洽的氛围，让孩子感受到倾听主要的是你表现出的一种真诚的态度，是对孩子的尊重、同情和保护。千万不要没等孩子把话说完就急于下结论"你不可以这样说、你该怎么怎么做"，这样孩子慢慢就会在你面前少说或者不说了。让孩子感受到：妈妈是站在你这边的，当孩子需要被倾听时，我们不是评判官或校外老师，友善地倾听孩子的心声，你才会很容易成为他心中受欢迎的人。

倾听在前，沟通在后，不会倾听，就谈不上沟通。只要孩子还愿意跟你说，就说明你还听得进去，一旦孩子什么都不跟你说了，即使你长着耳朵也没有东西往你耳朵里灌了。其实培养这方面的能力不难，在孩子没有停止说话前，你绝不要开口，你说的要永远比听的少。

2. 激励能力。

要想让孩子充分地发挥自己的才能，就应把要我做、要我学，变成我要做、我要学，而实现这一转变的最佳方法就是经常对孩子进行激励。采用激励的方式而非命令的口吻安排孩子的生活、学习，更能让孩子体会到生活中自己的重要性和学习上的成就感。孩子再大一点告诉他，当你做了一件没有被人知道但你自己认为了不起的事情，那就学会自我激励吧。

激励这个能力只要愿意就很容易做到，那就从现在开始，不要吝惜你的赞美，学会欣赏你的孩子，了解、肯定孩子的想法，发现孩子最优秀的一面，帮助、鼓励孩子克服困难，让孩子在任何时候都能感到你的支持和托他向上的动力。

3. 控情能力。

一个像样的妈妈应该是有着很强的情绪控制□□□□高兴情绪引起对家人的反应,肯定要优于糟糕情绪□□□管你长得很漂亮,但发脾气时的样子肯定没有哪个□□□孩子很小就具备的本领,当你在家情绪很糟总是拑□□□很容易波及到孩子,甚至影响到整个家庭的气氛和风气。孩子不敢惹逗你,只得躲进自己的小屋。

4. 协调能力。

家庭关系好的人一定是协调的高手。协调的目的是为了让家庭更和睦,不会因为鸡毛蒜皮的小事就抓住不放。

一个女性在家中为妻、为母、为儿媳很不容易,家庭和谐都要通过你与诸多关系者的良好交往来实现。通过交往,互相了解、互相尊重、互相信任、互相支持。

为此,需注重培养和提高自己的人际协调能力,善于从"先兆"中预见到可能发生的矛盾,把一些矛盾解决在发生之前。而掌握这种能力也不难,那就是多站在对方的立场考虑问题,办法永远比问题多。

5. 幽默能力。

幽默是父母与孩子沟通的有效方式。世界上有人拒绝痛苦,有人拒绝忧伤,但决不会有人拒绝笑声。在教育孩子时,父母如果经常能想到"寓教于乐"就好了,因为孩子"很难讨厌能让他们笑起来的人"。也就是说,幽默风趣的父母总比缺乏幽默感、只会简单说教的父母更受孩子欢迎。不妨鼓励孩子和家人一起幽默,它不仅可以使家庭气氛和谐愉悦,同时还可以让孩子学会应付生活中的其他问题。

这种能力也不是天生就具备的,只要你有这个愿望,先从自己开始。找点儿幽默故事,有时不妨自嘲一下,为紧张工作了一天的自己,也为学了一整天的孩子。

92. 常问自己几个问题

要求孩子怎么做也许是一件不难的事,一个命令、一顿臭揍,孩子马上就服。反过来要求自己,也许就没那么容易,你希望孩子从心里尊重你和你的命令吗? 试着对自己多提出些问题。

1. 我拥有什么? 拥有一个健康、活泼的孩子是每一个母亲最初的愿望。比起那些听不到、看不见、有智障的孩子我幸运得多;多少孩子成为战争的牺牲品,多少孩子在各种灾难中失去父母,我的孩子有饭吃、有衣穿、有学上,我一直为拥有一个健康、快乐的孩子心存感激。我们不应该常为自己没有的东西而烦恼,而应该珍惜自己所拥有的一切。

2. 我能还孩子本真的自己吗? 经常提醒自己不把自己孩子的缺点与别的孩子的优点比较,不拿别的孩子的长比自己孩子的短。了解孩子的优点和特长,好好地去发挥;了解孩子的不足和缺陷,接纳它。因为我的孩子是世界上独一无二的,是任何东西无法复制的。我的责任应该是负责开发好属于自己的、拥有丰富宝藏的金矿。

3. 我为谁感到高兴? 我会为孩子今天比昨天的进步感到高兴,无论成绩大小,都意味着他向前迈进了一步;我可以为他刚刚战胜的困难、挫折或自我的挑战感到自豪;也可以为他帮助了素不相识的路人感到高兴;还可以为他结识了新的朋友或读了一本令他激动不已的新书感到欣慰。而不是羡慕别的孩子如何如何,总是盯着自己孩子的种种不是。

4. 我每天为孩子打造了什么? 我对待工作的态度、在公共场所的行为举止、在孩子面前选择的言语以及对待家人和朋友的方式,都会在孩子面前透露出你是个怎样的人。

5. 我的爱发生变化了吗? 随着时代的变迁、社会的转型,父母对孩子的爱也在发生着变化,如果谁说父母不爱自己的孩子没人会信,但又有谁能说父母对孩子的爱百分之百都能取得好的效果呢? 父母对孩子的爱有的是很有理性的爱,有的爱变成了溺爱,还有的爱酿成了恨。我不愿在爱字的前面加上太多的附加成分,只想让孩子得到从内心深处感受到的爱。用对的方式去爱自己的孩子,我经常像检验产品一样检查自己,让爱在最佳的位置,因为,爱的质量如果发生了变化,爱就变成了害。

6. 我怎样换个角度看问题? 生活中会遇到很多不如意的事情,人们往往都是别人的建议者,却做不了自己的说服人。换个角度看问题,换个方式看待孩子,很多时候根本的问题就是我们看待问题的方式不同。别让孩子总处于你看问题的阴暗面,尽量将他设置在永远朝着阳光的一面。

7. 我有一颗平常心吗? "条条大道通罗马",人的想法和见解不能只限于一种正确答案,因此,不应以自己的见解不同而固执己见排斥孩子的想法。要能够用一颗平常心来观察事物的实质,用一颗平常心看着孩子健康成长。

8. 我能够及时清理心灵垃圾吗? 每天会有人把你家门口的垃圾带走,稍迟了一点,你会感到不悦。有形垃圾处理易,无形垃圾处理难。我能否充当家里的清洁工,把所有的损害我们肌体的心灵垃圾(怨、恨、恼、怒、烦、愁)全部清走(包括自己的和孩子的)。

9. 我能使家人快乐吗? 如果能体会到每个生命都会有欠缺,就不会与别人做无谓的比较,反而更能珍惜自己所拥有的一切。一切不愉快都是和别人比出来的, 也就是为什么越来越富足的人们弄不清楚自己为什么没有越来越快乐。我开始学会知足了,一个人的心态改变了,观念和态度也会随之改变。把握你可以掌控的快乐,消除不该属于你的"快乐",快乐是很容易得到的。快乐与否,只在乎你的心怎么看待。一个什么都不能使自己快乐的人,怎能让家人和孩子和你快乐得起来呢。

孩子的评语:

　　把没完没了地追问我们,变成父母经常的自问,这样当然会避免很多不必要的冲突。公说公有理,婆说婆有理,我们当然也有我们的理。家庭中最难办的事恐怕就是,大家的愿望都是好的,但得到的结果却是适得其反。

93. 我与女儿一起成长

　　我无法知道我生命中最初的几年是怎么过来的,但我又对那段光阴充满了好奇。很久以前,弗洛伊德就让世界认识到我们的所作所为取决于神秘的记忆和情感力量。

　　女儿出生了,我想这是我寻找自己生命起源的最好机会。我不想让岁月在我与女儿之间有生硬而强行的划分,我试图把自己变小,再变小,变得和女儿一样的小,用一片童心去思考一切,重新感受一回和女儿同步成长的快乐。

　　1. 学龄前。

　　女儿生下来,我把自己当做一个已经长大的婴儿,认真体察着她的一举一动。当听到她第一声喊出妈妈的时候,我的心真的醉了,我想我一定要大手拉小手,快乐地共度我们的童年。女儿爱听故事,每晚我们都生活在童话世界里,让听和讲的人都乐在其中。我小时候没有听过、看过的各国童话,终于可以借女儿的光,和她一起分享了。或许从那时起我已感觉自己有了一颗孩子般的童心。

我喜欢看她清澈如水的眼睛,喜欢她以特有的方式表达着自己的喜怒哀乐,更喜欢她对这个世界有问不完的问题和急于想自立的强烈欲望。每天下班我接上女儿不是先回家,而是带着她到处游荡,同事见我风趣地说:人家下班你上班。的确,我们玩儿得很开心,观察着四季的变化,模仿着自然界的各种动作。风吹云动、绿树临风、候鸟展翅、树叶飘落……我心灵中似乎有一种别人无法感知的神秘的东西,引导着我们探究大自然的秘密。柏拉图曾说过:从幼年时候起,就让孩子的心灵与一切美好的东西亲近,再没有哪种训练比这更高贵的了。

我从来没有和女儿讲过"学习"二字,甚至一个字也没有教过她,她总是高高兴兴地说咱们玩"学习"吧(我心想,上了学你就知道学习可不是那么好玩的了)。女儿越是充满着旺盛的求知欲,我就越是备加爱护她这种对学习的向往之情。那时社会上各种班已盛行,家长衡量幼儿园的标准是看孩子能学多少知识、会背多少诗词、会写多少汉字,现在又加上有没有双语教学。我想,如果提前都会了,那上学就没有重复的必要了。再说孩子的童年就那么几年,学习的事应该交给学校,况且以后学的时间长着呢,抓紧时间玩儿才是重要的。所以我深信,与女儿认识大自然,在大自然当中学习远比早认识几个字和提前会算几道算数题有用得多。就这样,我没教女儿一个字(除非她从街上拣来的字问我才告诉她),没上学前班,没上兴趣班,自然进入了小学。

谁说一个人只有一个童年,我经常忘记我们之间的辈分,跟着女儿我的情感仿佛倒流到了我的童年,我们就是这样手牵着手共同度过了我们快乐的童年。

2. 少年时代。

女儿上学的第一天,晚上洗澡,坐在澡盆里就睡着了。我摸着她的头轻声问她："上学好玩吗？"女儿摇摇头。没过多久女儿面临了第一次考试，结果才得了60多分。看着女儿不大高兴的样子，我没有说她，也没有直接问她什么原因。第二天我问了老师，老师说有两道题她不会做。回来后我旁敲侧击地说，原来不是女儿不会做，而是没看见后面还有题呢。我一点儿也没责怪她，我和女儿说："你常说玩学习的，我理解的玩就是让所有的题、所有的数字都听从你的指挥，以后别让开小差的乐手从你身边溜走。"从那以后，女儿越学越来劲儿，还当上了大队学习委员。有一次我把大队符号挂在自己胳膊上，撒娇地对她说，"我小的时候学习不好，连想都没想过当三道杠，要是把我揣在你兜里带着我一起上学该有多好啊……"她从我的快乐状态中获得成长，我从她的快乐成长中得到满足。

那时我发现，多给自己和女儿一点时间，也等于多给她认识自己的一个机会，我也会从每一处寻找到异样的惊喜。

3. 青春期。

在不断的探索和追问中，时光的河流慢慢地从我们眼前流过，青春转瞬间就在眼前。这时的女儿已经视野开阔、知识大增。互联网上只要打上一个所需知识的关键词，一敲回车，数以万计的资料跃然屏幕。我清醒地意识到自己已经满足不了她对知识的渴求，除了自己的那点儿专业知识外，在她面前再也没有任何优势可言了。罗曼·罗兰就说："成年人慢慢被时代淘汰的最大原因不是年龄的增长，而是学习热忱的减退。"这也逼着我不得不把自己学习这根发条上得更紧。

到了高中女儿有了男朋友，后来他去了上海读大学。一天女儿说让我帮她给他买件上衣，我一下买了三件，女儿相信我的眼光，还夸奖老妈的品位没有随着年龄的增长而下降。我比女儿还急着给上海寄去，后来又寄了一些必需品。春节问候的短信不少，没想到接到一个连面都没见过的——他的短信，真是喜出望外，拿着手机在女儿面前炫耀半天。转眼间我在与女儿共享欢乐中忽然发现，女儿长大了。

这期间，我逐渐体会到了世界著名儿童教育专家蒙台梭利一句格言的深刻含义："婴儿是成人的父母。"一直以来，我们总以为父母是天经地义的教育者,在与女儿共同成长的过程中我才深深感受到,其实自己是一位"被教育者"。

不管怎样,我们一路走来,我相信她是快乐的,因为我也快乐。她以绚丽的色彩弥补了我曾缺失的美好时光,用她自主的想象抚平了我们那个年代的灰色记忆与伤痕。感谢女儿为我拾回了一个金色的童年,重温了一个少年时的美梦,回味了青春期深藏的对异性的感受,帮助我重新认识了人生的坐标。现在我不得不承认,不是我教育了女儿,而是女儿教育了我,在我们共同成长的过程中,她使我养成了一个时常反省自己的习惯,这都是女儿纯洁的心灵给我的启示。在思考了一段时间后,"我终于知道应该做什么了",并尝试着做未曾做过的事情,不然,就不会在这里与您共同分享我与女儿成长的经历了。

孩子的评语:

没有说教痕迹的互动交流,没有心理距离的平等对话,我们之间经常会产生一些共同的想法和同伴的感觉。你中有我、我中有你。学龄前我们是最好的玩伴,小学我们是最好的伙伴,中学我们是最好的朋友,现在我们是最好的知己。所谓与孩子一起成长,说白了就应该是:你们在要求我们好好学习的同时,是否注意到自己也要天天向上。

附录一：正是因为妈妈爱你
——说给女儿的话

正是因为妈妈爱你——我忍着连喝水都要吐出的强烈妊娠反应，靠的是住院打点滴维系着咱娘俩的生命，坚持着让你来到这个世上。

正是因为妈妈爱你——当听到你的第一声"呐喊"，命运已注定，妈妈将是你最亲近的人。你的出生之日，也是妈妈的责任诞生之时。

正是因为妈妈爱你——在你还听不懂、看不懂这个世界的时候，妈妈不厌其烦地与你交流，使你能看到的视野中尽可能的色彩斑斓。

正是因为妈妈爱你——在你蹒跚学步多次跌倒时，我没有同时也不让任何人把你搀扶起来，看着你满脸的灰尘和上次还未痊愈的伤疤，我看在眼里疼在心里，但还是让你知道要靠自己，勇敢地站起来。

正是因为妈妈爱你——在你与小伙伴游戏发生冲突时，你眼巴巴望着我，我没有为你说话，而是希望你能从大人要求你们彼此尊重的提醒中受益。

正是因为妈妈爱你——上幼儿园和其他小朋友一样你总爱说"第一个来接我"，可我从来没有做到，尽管下班急急赶去，但留下的总是你孤独的一人。让你明白愿望与现实不总是一致的。

正是因为妈妈爱你——在你能拿起扫把的时候，我没有让你扫自家的地，而是咱俩一起清扫大家共走的楼道，街坊邻里的赞许使你懂得了什么是助人为乐。

正是因为妈妈爱你——家住六层楼爬上80多级台阶对幼小的你来说不是件容易的事，我总是期待着你自己上来，"走不动就爬上来吧"。对我来说洗干净一身脏衣服要比为你树立起不怕困难的勇气容易得多。

正是因为妈妈爱你——上了小学以后，妈妈再也没有接送过你，为的是让你独立坚强。还记得那天晚上我们把路上可能遇到的情况和应急办法编成的故事吗？

正是因为妈妈爱你——你大了一点儿，我再也不提醒你应该穿什么、穿多少，因为这就是一年四季的春夏秋冬，个人的冷暖，必须由自己去感受。

正是因为妈妈爱你——也许在你的记忆中妈妈没有给你做过一顿早餐，是的，这使你很小就学会了分析食物中的营养成分和选择填饱肚子的不同方式。

正是因为妈妈爱你——不要责怪我从小到大一直在和你抢吃抢喝，我不过是让你学会与除了你以外的他人分享食物。

正是因为妈妈爱你——在大雨袭来的放学路上，我没有给你送去雨伞，看着你淋得像个落汤鸡的样子，是让你懂得人生要经历无数风风雨雨。

正是因为妈妈爱你——每个寒暑假，我都让你学会一项生活的本领，也许在我看来只需花几分钟或十几分钟就可以完成的事情，宁可多花些时间让你去做也是值得做的家务。

正是因为妈妈爱你——当你出言不逊或没有礼貌时，我会不理你，直到让你明白要想得到别人的关爱和尊重，就先要学会关爱和尊重他人。

正是因为妈妈爱你——在满足你众多的文化需求上，唯一没有答应给你买的就是游戏软件，因为那带给你的会是视力的下降、学业的滑坡和大量宝贵时间的流失，尽管你当时不理解。

正是因为妈妈爱你——在募捐活动中，我都要求你从自己的压岁钱中拿出，让你懂得钱什么地方可以节省，什么地方非用不可。让你体会"同在蓝天下"同龄人的不同。

正是因为妈妈爱你——学校组织夏令营，你说没有一个家长不送孩子。不是妈妈不关心你，一切都由你自己打理，是让你一点一滴地体会到自己的力量。

正是因为妈妈爱你——在聚集众多家长的考场外面，你从来看不到妈妈的身影。那是因为妈妈不愿在你本来已经不轻松的心理上再平添一份惦念。

正是因为妈妈爱你——我和爸爸故意远离你到千里之外的南方，让你有机会独立安排自己的生活，尽管我每天的心都是忐忑不安、七上八下的。

正是因为妈妈爱你——报考大学的全过程都是由你自己完成的，因为我已认定这时候的你已经是初具独立人格与各方面能力的人了。

正是因为妈妈爱你——从小妈妈表现出的种种不如你，而今天妈妈承认真的不如你，这才是我真正的用意。

女儿，正是因为妈妈爱你——在你成长的过程中，无论是人为设置的生活上的障碍，还是看似有些心狠的表现或者种种不够仁慈的举动，都是因为妈妈在能够关照你的时候，尽量地锻造你丰满的羽翼，当你需要搏击长空的时候，让你能够自由升腾。妈妈不会说，也不善表达，而是用十几年的行动告诉了你，现在你明白了吧。

■ 附录二：童年的记忆
——写在明天幼稚集团成立十周年

差点儿没能进塔院幼儿园是因为爸爸单位负责招生的人把我给漏报了。妈妈直接找到了郑佳珍园长，具体怎么说的我不得而知，反正最后我这条漏网小鱼最终还是进了这所幼儿园。

妈妈为我选择这个幼儿园的原因：一是离家近；二是幼儿园的外观设计吸引孩子；三是塔院幼儿园当时也是很有名气的。

十几年过去了，我都快要成为一名大学生了，可幼儿园一直在我心中。因为它是我上学的必经之路。幼儿园的每一点变化都逃不过我的眼睛，是因为我对这里太熟悉了，亲戚朋友走到这里都会说这个幼儿园真好看呀！我就会自豪地说："那是我的幼儿园！"

上学了，每当走到幼儿园都会对妈妈说："还是幼儿园好，真想回到幼儿园。"这明明是对幼儿园的眷恋之情，是对童年的美好回忆。

记得进入幼儿园，带我的是三位年轻漂亮的女老师，我印象最深的是：幼儿园也有班长这一说，我们班的班长是一个个头高高的女孩儿。要知道那时的我多么希望能当上班长，我心里很不服气，她能做到的事我也能做到，甚至可以比她做得更好。我跟老师说："为什么不让我当班长？"终于有一天机会来了，那个女孩生病了，老师让我来当班长，平时早就留心怎样才能进入角色，做起事情来自然顺理成章。后来回想起来那种感觉真是心理上的愉悦和精神上的满足。我现在想：如果我是一位老师，一定要给每一个孩子自我表现的机会，因为那时的我们没有对与错、好与坏之分，有的应该是老师赏识的目光和让孩子树立做好事情的信心。

记得有一天，一位老师自言自语地说："也不知几点了。"我忙说："我去看看。"我转身跑到另一间屋回来告诉她："差十五分六点。"老师感到很惊讶，当即表扬了我。那不过是头天由于对家里一个不走的闹钟感兴趣让爸爸才教会的。

　　还有一次，小朋友们提着几个装着蜡笔的小桶玩，老师随便问我们："15+15等于几？"我认真地数出15根蜡笔，又数出15根蜡笔，又想把两堆蜡笔加在一起（我数了好几遍，因为总有小朋友拿走蜡笔或打扰我的思路），最后我坚持数出来向老师汇报30。老师夸了我好一段时间。

　　其实，老师的一个表扬，一个微笑，一个赏识的目光，一个表示友好的动作，对孩子的成长是多么的重要！

　　幼儿园时的记忆虽然渐渐模糊了，但给我的感受是清晰的：那就是快乐。妈妈那时就说过：衡量幼儿园最基本的标准就是看孩子愿意不愿意去。塔院幼儿园做到了！她迎接孩子的是童话般的园舍、老师们一张张的笑脸、小伙伴们张开的小手和每天做不完的游戏……

　　幼儿园老师和园长的形象为什么至今没有在我的记忆中消失，是因为我细心的妈妈在我毕业时给我留下了珍贵的照片和她们的寄语，上面是这样写的：

　　祝由宓小朋友学习进步、健康成长，记住美好的童年。　园长郑佳珍
　　愿由宓小朋友永远活泼、聪明、可爱！　你最喜欢的张老师
　　祝由宓小朋友学习进步、身体健康，做一个三好学生。　白老师
　　祝由宓小朋友好好学习、天天向上，做一名好学生、好孩子。　王老师

　　今天，我可以欣慰地告诉养育我的幼儿园和培育我的老师，你们对我的要求和寄予我的厚望我做到了！这一切的一切是因为有这块适合幼苗成长的土壤和不辞辛苦的园丁们，是你们使得我这棵小苗没有受到任何伤害，在人生最重要的阶段茁壮成长。

　　感谢我的幼儿园给了我金色的童年，感谢我的幼儿园为我插上了梦想的翅膀！

　　愿我的老师永远年轻、漂亮，愿你们爱孩子的一颗童心永驻！

　　愿我的幼儿园永远是孩子最爱去的乐园！

由　宓

附录三:由宓简历及主要经历

教育背景

2002 年 9 月至 2005 年 6 月:中国人民大学附属中学

2005 年 9 月至今:中国传媒大学数字媒体艺术系(数字影视制作方向)

电影、影像艺术创作

1.《并非不是一部青春片》(喜剧,英语,2003 年,30 分)

自编自导自演自剪的高中青春喜剧,让作者成为当年城中最小的 DV 制作人,开启了作者以摄像机为第三只眼的生涯。

放映于学校、Seventeen 杂志记者发布会、伟达公关公司"Cool Hunt"发布会等。

2.《快跑阿甘》(剧情片,英语,2004 年,40 分钟)

赋予人物两次生命的黑色幽默正剧,反映了青少年特定时期思维中的悲颓,并用大人的故事表现。

3.《乐》杂志广告(2006 年,30 秒)

播放于旅游卫视。

4.《"娜拉的儿女"在中国》(2006 年,5 分钟)

中国戏剧大导林兆华应 2006 挪威易卜生年活动邀请而导演的新戏。作者短时间高强度融入导演与演员的世界,宣传片吸引众多人前来观戏,票房爆满。

放映于挪威大使馆 2006 易卜生年开幕式,中国国际航空公司航线电视。

5. Master Builder Lin (2006 年,80 分钟)

易卜生终极巨作,挖掘其诞生的故事。戏剧界的"大建筑师"林兆华导演,濮存昕、陶虹主演。

6. 2006 年 9 月至 2008 年,作为陆川导演助理参与了如下工作:

——2007 年上海特殊奥运会 Special Olympics 开幕式创意工作。

——美国慈善大亨 Mr. Nassiri 世界和平歌曲 Love Sees No Color 中国部分拍摄协调工作。

——代表陆川导演参加 2007 年 60th Cannes Film Festival 戛纳电影节，作为评委助理参加 2007 年第 10 届上海国际电影节等。

7. 2007 年 9 月开始作为英文副导演参与电影《南京！南京！》拍摄。

8. 2008 年被邀请参加第 58 届柏林电影节 58th Berlinale 的 Talent Campus，被德国电视二台 German TV ZDF、每日镜报 Die Tagesspiegel、德国之声电台等追踪报道。

9. 实验影像艺术作品 "Beijing, Beijing—How East and West Fall In Love And Will Continue To Do So"（2007 年），2008 年 2 月展出于柏林 Director's Lounge Contemporary Media and Art Space (Berlin)，并做展示演说。

10. 2005 年开始实践 VJ 艺术（现场视频混合艺术），曾参与：崔健"纪念中国摇滚 20 年"（2006 年，沈阳）、Borderline Video Art Festival 边界线影像展（2006 年，北京），以及北京各处演出活动。

策展·研究·出版

1. 策展。2007 年深圳/香港建筑与城市化双年展 "Sonic Architectures 耳中影院"联席策展人（主策展人：马清运）

2. 研究。参与与城市化、城市文化、建筑有关的国际研究项目，包括：

Organized Networks–Mobile Research Lab Beijing 2007；

Urban Body–荷兰 TUDelft 与清华美院在北京的城市研究体验；

Open Street Map–世界性开放式地图项目。

参与跨界（建筑，语言，剧场）工作坊，包括：

From⋯⋯ to⋯⋯（"From writing to choreography"，与西班牙编舞 Juan Dominguez）

Jan Fabre Workshop 2007 (世界著名比利时艺术家)，等等。

3. 出版。曾为《外滩画报》《城市画报》《Top 风尚》等文化刊物供稿，2006

年为台湾《Elvis》杂志（滚石唱片的分支杂志）北京文化专栏作家。

现为意大利艺术·设计·生活杂志 Casa & Design 中文版撰稿人，意大利建筑艺术杂志 Arbitare 国际中文版特约编辑，英文作品亦见于 MonU 等欧洲建筑、艺术杂志。

社会活动

1. 2004 年 3 月荣登《Seventeen 青春一族》杂志封面，在其发布会上用中英文讲话。

2. 2004 年 6 月 JPMorgan 公司国际会议期间，陪同基辛格夫人等重要人物家属。她们的评价是"这比逛街好玩多了！"

3. 2004 年 7 月新托福推广发布会，作为被奖励者发表演讲。

4. 2004 年底通过 E-mail 帮助完成美国印第安纳大学东亚研究项目的图片部分制作。

5. 2005 年 5 月北京财富论坛，于"倾听中国年轻人的声音"议题会议用英文演讲，并回答世界 500 强企业 CEO 以及外国媒体的提问。

获奖情况

1. 2003 年英国大使馆"设计我的房间"竞赛　最佳创意设计奖

2. 2003 年首届北京国际 DV 论坛　剧情片入围奖

3. 2004 年新托福体验考试　特别鼓励奖（得到 90% 的分数）

4. 2004 年"给曼德拉的一封信"征文大赛　一等奖

5. 2004 年中法文化交流年征文比赛　读者评论奖

6. 2003—2005 年全国中学生英语能力竞赛　一等奖

7. 2006 年时报广告　金犊奖

8. 2006 年《"娜拉的儿女"在中国》宣传 DV　大陆入围奖

■ 后记：把伟大的母爱变成伟大的课题

伟大的母爱被视为世界上最无私的爱。

教育家福禄倍尔说："国家的命运操纵在掌权者手中，倒不如说握在母亲的手中，因此我们还必须努力启发母亲——人类的教育者。"我们明天能否立足于世界，取决于今天我们少年儿童家庭教育的成败，因此母亲的素质决定着人类和民族的未来。

一位著名的心理学家是这样说的：人的个性就像树的年轮，是一圈一圈地发展的。婴儿的一圈代表爱与享受；童年的一圈代表创作与幻想；少年的一圈是玩耍与喧闹；青年的一圈是爱情与探索；而成年人的一圈则象征着现实与责任。如果有任何一圈未完成，这个人的个性就会受到损害，不会有一个圆满的结局。

在日本，母亲象征着一种职业、责任和权利，她们把教育子女看成自己的最高责任。美国教育部的一项报告《今日日本教育》撰文说："日本母亲的成就感源于其子女的成就，母亲参与教育是日本教育成功的一个重要因素。"

教育家苏霍姆林斯基说得好："不了解孩子，不了解他的智力发展，他的思维、兴趣、爱好、才能、禀赋倾向，就谈不上教育。"

马卡连柯曾说："父母对自己的子女爱的不够，子女就会感到痛苦；但是过分的溺爱虽然是一种伟大的情感，却会使子女遭到毁灭。"

陶行知先生告诉我们："一个人不懂小孩的心理，小孩的问题，小孩的困难，小孩的愿望，小孩的脾气，如何能教小孩？如何能知道小孩的力量？而让他们发挥小小的创造力？"

"我们有一个惊人的发现，"中国青少年研究中心的副主任、研究员孙云晓幽默地说，"虽然全国的父母从来没有在一起开过会，但是全国的父母每天却说着非常相似的话：要好好学习，只要学习好其他的什么都不用管"。

北京的教育专家李圣珍认为，由于长期以来的种种弊病，我们这个社会培养了大批不合格的父母，他们大多缺乏基本的教育知识，莫名其妙地恋爱、结婚，莫名其妙地做父母。被他们培养出来的所谓"问题孩子"，本质上是来自"问题父母"，再加上一些"问题教师"，孩子们就更加雪上加霜。这样的教育不出"问题孩子"，才是咄咄怪事！

如果我们还能够回忆起鲁迅先生80年前那句痛切的话："中国少有合格的父母"，那么在父母们高喊"救救孩子"之前，还是先救救父母们自己吧！

母亲教育孩子的知识和技巧是需要不断更新和完善的，因为随着孩子的长大，新的问题总是会不断地出现。这需要母亲用新的方法去解决，在不断探索和自我完善中改进自己的教育方法。

孩子是自己生的，没有哪个人比母亲更了解自己的孩子了，孩子也最想让母亲真正了解自己。要做到这一点，我们绝不能"摸着石头过河"，需要掌握一些心理、生理知识和成功的教子经验，并加以创造性地运用在自己孩子身上。

我不是儿童心理学专家，也不是教育工作者，我和你一样就是一个普通孩子的妈妈，我也和天下所有母亲一样都有一颗爱孩子的心。但母爱同样是需要学习的，我们也应像渴求其他知识一样，努力把伟大的母爱转变成研究教子的伟大课题。

这本书完成归功于很多人，对此我深表谢意。我要感谢北京师范大学教育心理系教授冯忠良，是你最初的肯定让我有信心坚持写下去；我还要感谢幼儿心理学专家郝建玲，你对本书的敦促让我无法停歇下来；尤其要特别感谢中青社的冈宁先生，你为我的拙稿放弃了春节整个假期，让我感动；还有我的好朋友小妹、雪冬、虹燕、一如、永梅、雪欣、马俐等朋友和老师，你们都说过要当我的第一位读者，我总算对你们有了交代。没有你们热情的关注，本书是无法完成的。我无法用语言表达家人给予我的爱和支持，特别是来自于女儿的支持和鼓励，让我感受到，成人做一件事情也是需要有支撑的，谢谢你们。

亲爱的朋友,你的孩子在成长中开心的事,我愿与你一起分享;烦心的事,我也愿与你一起分担。如果信任我就和我联系吧:

我的邮箱:liwa.yan@gmal.com

阎　静

2008 年 4 月于北京